LE
KAMA SUTRA
DES AFFAIRES

Les Éditions Transcontinental
1100, boul. René-Lévesque Ouest, 24e étage
Montréal (Québec) H3B 4X9
Téléphone : 514 392-9000 ou 1 800 361-5479
www.livres.transcontinental.ca

**Catalogage avant publication de Bibliothèque et Archives nationales du Québec
et Bibliothèque et Archives Canada**
Vittachi, Nury, 1958-
Le Kama sutra des affaires : principes de leadership inspirés des classiques indiens
Traduction de: *The Kama sutra of business.*

ISBN 978-2-89472-373-9

1. Gestion. 2. Succès. 3. Leadership. I. Titre.

HD31.V5714 2008   658   C2008-941471-3

Correction : Lyne Roy
Conception graphique de la couverture : Studio Andrée Robillard
Mise en pages : Centre de production partagée Transcontinental
Impression : Transcontinental Gagné

Imprimé au Canada
© Les Éditions Transcontinental, 2008, pour la version française publiée en Amérique du Nord
Dépôt légal – Bibliothèque et Archives nationales du Québec, 3e trimestre 2008
Bibliothèque et Archives Canada

Nous reconnaissons, pour nos activités d'édition, l'aide financière du gouvernement du Canada par l'entremise du Programme d'aide au développement de l'industrie de l'édition (PADIÉ). Nous remercions également la SODEC de son appui financier (programmes Aide à l'édition et Aide à la promotion).

Pour connaître nos autres titres, consultez le **www.livres.transcontinental.ca**. Pour bénéficier de nos tarifs spéciaux s'appliquant aux bibliothèques d'entreprise ou aux achats en gros, informez-vous au **1 866 800-2500**.

Nury Vittachi

LE
KAMA SUTRA
DES AFFAIRES

Traduit de l'anglais par Marie-Claude Elsen

Les Éditions
Transcontinental

PROLOGUE

Lors des conférences que je donne dans le monde entier, je demande souvent au public de me citer l'immense pays asiatique destiné à devenir une force économique dominante, propulsée par la population la plus dense du monde. Les mains se lèvent, et j'obtiens toujours la même réponse : la Chine.

En fait, la bonne réponse est **l'Inde**.

La Chine est bien partie pour occuper le *deuxième* rang mondial en densité de population, pas le premier. Cette place de numéro un va passer d'ici une vingtaine d'années de la Chine à l'Inde qui la conservera à longue échéance.

De plus, les chiffres n'incluent pas le Pakistan, voisin le plus proche de l'Inde, lequel deviendra le cinquième pays le plus peuplé du monde d'ici à 2050. Par conséquent, nous pouvons dire qu'en 2050, l'Inde et le Pakistan contiendront à eux deux une part considérable de la population mondiale : plus d'individus (1,95 milliard) que tous les pays africains réunis (1,9 milliard), selon la Division de la population des Nations Unies.

L'Inde et ses voisins vont jouer un rôle capital sur la scène mondiale et pourtant, leur stupéfiant héritage intellectuel est très mal connu.

Je suis heureux de rendre hommage à l'inspiration et à la vision de C. J. Hwu, mon éditrice chez John Wiley, qui a eu l'idée de ce livre. J'aimerais également remercier Sahil Tripathi, qui a mis au point le texte, ainsi que le coordonnateur du projet, Joel Balbin.

Mais par-dessus tout, je salue le peuple indien et ses voisins qui ont engendré la sagesse célébrée dans mon livre.

Nury Vittachi
Hong Kong
Décembre 2006

TABLE DES MATIÈRES

Introduction

LES PREMIERS GOUROUS
ÉTAIENT DE *VRAIS* GOUROUS

L'Inde a toujours été source d'une sagesse capable de transformer la vie. Du monde entier, les gens s'y rendent en pèlerinage afin de s'y recentrer, d'effectuer un voyage intérieur, de reprendre moralement des forces. C'est un fait, aussi vivace de nos jours que depuis l'aube de l'histoire du monde.

Les secrets de ce pouvoir spirituel enrichissant résident dans les textes les plus anciens de ce pays, dont vous allez découvrir l'essence dans un style séduisant et d'une lecture divertissante. Vous vous apercevrez que ces textes classiques ne sont pas uniquement destinés aux hippies. Ils contiennent de remarquables techniques pratiques dont peuvent s'emparer les personnes ambitieuses pour acquérir et garder le pouvoir et pour effectuer des manœuvres stratégiques qui leur permettront de réussir en affaires et en politique. Ils offrent également des conseils précieux en matière de compétences relationnelles et ils permettent, grâce à leur sagesse intemporelle, d'atteindre un équilibre personnel.

À la lecture du titre de ce livre, certains s'imaginent peut-être qu'ils vont y trouver « 64 positions permettant de baiser ses concurrents en affaires, schémas compris ». En fait, son contenu est beaucoup plus intéressant. Il vous permettra d'améliorer vos réalisations personnelles et professionnelles de multiples façons, grâce à un élixir extrait des sources les plus anciennes. À vous de décider si vous trouvez cela plus agréable que le sexe ! Mais il est vrai que vous expédierez vos adversaires professionnels au tapis.

Réfléchissez aux informations suivantes :

- Le premier gourou de la gestion de la planète était un sage qui utilisa ses techniques pour bâtir un empire plus vaste que l'Europe occidentale.

- Dans l'Inde ancienne, les négociants fondèrent un monde comparable au continent perdu de l'Atlantide, dans lequel on trouvait aussi bien une technologie avancée et des embouteillages que des cartes de crédit en pierre.

- De nombreux outils stratégiques remarquables utilisés de nos jours par les plus grands dirigeants d'entreprise sont dissimulés à l'intérieur des plus anciens livres de l'humanité, comme la *Bhagavad-Gîtâ*.

- Les exemplaires du *Kama Sutra* qui circulent en Occident ne proposent que 20 % de son texte original.

LE KAMA SUTRA DES AFFAIRES

L'homme qui rédigea le *Kama Sutra* était célibataire. On pense effectivement que cet ancien texte classique indien, considéré de manière générale comme le premier manuel au monde traitant du sexe, fut écrit par un étudiant en théologie qui n'avait même pas d'amoureuse.

Il s'appelait Vatsyayana et se consacrait à l'étude, non pas du sexe, mais de Dieu. Cela ne l'empêchait cependant pas de croire que les différents aspects de l'existence – la spiritualité, le matérialisme, la sexualité – avaient besoin d'être équilibrés. Il estimait par ailleurs que la littérature ne faisait pas justice au troisième aspect. Il se fixa donc pour objectif de remettre les pendules à l'heure.

L'essai qui en résulta acquit dans le monde entier la réputation d'ouvrage définitif sur le sexe. Si des livres comme *La Joie du sexe* sont connus depuis des lustres, celui de Vatsyayana est porté aux nues depuis plus d'un millénaire et demi. Il est devenu à la fois l'un des ouvrages les plus interdits et les plus populaires jamais écrits. On le craint depuis toujours : récemment encore, on ne pouvait pas se le procurer dans la plupart des bibliothèques et les encyclopédies elles-mêmes omettaient de le mentionner. Malgré tout, il fait l'objet de louanges depuis des siècles, soit beaucoup plus longtemps que presque n'importe quel autre texte laïque. Aujourd'hui, il est connu dans le monde entier grâce à sa traduction dans d'innombrables langues. Deux millions de pages environ lui sont consacrées sur Internet.

Le *Kama Sutra* est une énigme. On peut soutenir qu'il s'agit du livre le plus célèbre du monde dont on ignore pratiquement tout le contenu. En d'autres termes, si chacun d'entre nous ou presque en a entendu parler, très rares sont les personnes qui l'ont lu. Plus étrange encore, celles qui pensent l'avoir lu font en réalité fausse route. De ce fait, on pourrait facilement dire qu'il s'agit de « l'un des ouvrages les plus incompris jamais écrits » (à côté de la plupart des textes classés comme sacrés).

De nos jours, nombreux sont ceux qui considèrent encore le *Kama Sutra* comme un livre scandaleux traitant de sujets que des personnes bien élevées ne doivent pas aborder en présence de femmes et d'enfants. Ceux professant des idées plus larges estiment qu'il s'agit d'un catalogue utile, à l'intention des adultes, de positions sexuelles, d'un équivalent ancien de *La Joie du sexe*. Aujourd'hui encore, les ordinateurs équipés de filtres de protection parentale empêchent ceux qui surfent sur le Web d'accéder à de nombreux sites qui mentionnent l'expression «kama sutra», à juste titre probablement. D'ailleurs, ceux qui créent des sites Web à son sujet ne cessent de révéler qu'ils ne l'ont pas compris.

Le livre que vous tenez entre vos mains le présente, ainsi que d'autres classiques de la littérature indienne, sous un jour différent. Il avance que les anciens écrits de l'Inde contiennent une somme gigantesque d'informations d'une richesse infinie, dont la plus grande partie demeure à découvrir par la classe moyenne indienne actuelle, sans parler des lecteurs du monde entier. Il estime qu'une grande partie de la sagesse des érudits et des premiers maîtres de l'Inde ne demeure pas seulement pertinente aujourd'hui, mais qu'elle fournit un ensemble de directives applicables à la vie moderne, plus utiles et plus équilibrées que la plupart des conseils analogues plus récents. Il suggère qu'une perspective englobant les pensées orientale et occidentale constitue un modèle de fonctionnement plus efficace dans notre monde contemporain que la pléthore de «guides de réussite» de vie personnelle et professionnelle d'inspiration occidentale. N'oublions pas que plus de la moitié de la population mondiale vit en Asie.

Nous avons extrait notre titre du *Kama Sutra* pour la bonne raison qu'il est connu de tout le monde et de personne. Dans cette mesure, il représente une grande partie de l'ensemble de la sagesse de l'Inde. Oui, ce livre (désolé, pas le nôtre) comporte effectivement des conseils sur les positions de copulation. Pourtant, ces conseils ne constituent que 20 % de son contenu. Le reste est consacré à d'autres sujets concernant la vie et les relations entre les êtres humains. Il aborde aussi la production de la richesse et l'éducation. Il traite de morale, de droits et de devoirs. Mais avant tout, il s'attache à créer l'équilibre dans nos vies. Le mot *kama* du titre est un ancien terme sanskrit qui se réfère au plaisir sensuel. Selon Vatsyayana, l'auteur du *Kama Sutra*, le *kama* ne mène au bonheur que s'il est correctement équilibré avec le *dharma* et l'*artha*. Qu'entend-il par là ? Vous le découvrirez au fil des pages à venir qui vous permettront d'effectuer un voyage agréable et intéressant.

Une autre raison nous a poussés à choisir un titre inspiré du *Kama Sutra* : l'ouvrage de Vatsyayana est pertinent, intemporel, séduisant, divertissant et délicieusement inattendu. Ces qualités s'appliquent également aux anecdotes et aux écrits relatés dans le mien.

LES INSTRUMENTS DE LA RÉUSSITE

S'il est une chose devenue d'une clarté évidente au sujet de l'accomplissement à notre époque technologique, c'est bien la suivante : l'outil électrique le plus sophistiqué, complexe et fécond du monde n'est ni un logiciel ni un disque dur. C'est un morceau de matière molle appelé cerveau humain. En d'autres termes, chacun d'entre nous est équipé de l'instrument clé pour changer le monde.

Pour opérer une percée importante, nous avons besoin de trois choses *supplémentaires* : **du temps, de l'espace et un crayon bien taillé.** De nombreuses personnes ont rassemblé ces trois éléments et accompli de grandes choses. Prenons, par exemple, deux célèbres penseurs modernes : Albert Einstein et Stephen Hawking. Grâce à eux, l'humanité accepte des idées stupéfiantes, telles que le concept selon lequel, avant le big-bang, l'espace n'était composé de rien, pas même d'espace. Ces deux maîtres ès sciences du XXᵉ siècle expliquent cette notion paradoxale à l'aide d'arguments détaillés, relevant aussi bien de la physique que de la philosophie.

Cependant, lorsque nous jetons un regard au plus ancien écrit de l'Inde, nous y trouvons la formule suivante :

> **À** l'époque des débuts, il n'existait pas de chose comme l'existence ;
> mais il n'existait pas non plus de chose comme l'inexistence.

L'auteur inconnu de l'une des œuvres littéraires les plus anciennes déclare qu'avant l'aube de l'humanité, l'espace était empli de rien ; pas même de vide. L'auteur du *Rig-Veda*, rédigé il y a plus de trois millénaires et demi, professait la même idée que les savants contemporains. Cette anticipation de la pensée moderne nous conduit sur une voie fascinante : *les êtres humains ne sont peut-être pas plus intelligents aujourd'hui qu'ils ne l'étaient il y a quatre ou cinq millénaires*, à l'aube de l'histoire écrite.

Nous estimons que cinq mille années constituent une très longue période, mais replacées dans le cadre de l'histoire de l'humanité, elles ne correspondent qu'à un clin d'œil. Les anciens humanoïdes, des hommes qui marchaient sur deux jambes et appartenaient au genre classé *homo*, apparurent il y a un peu plus d'un million d'années. Même si nous rétrécissons notre classification aux humanoïdes avancés possédant un niveau d'intelligence élevé, nous nous apercevons que l'*homo sapiens* et ses cousins et ancêtres distants – *homo erectus, homo robustus, homo floresiensis, homo neandertalis* et autres – ne connaissent la fabrication des outils et autres techniques que depuis un peu plus de cent mille ans.

Cela n'a pas empêché l'*homo sapiens* de passer, en un temps record, de l'état de créature des bois comme les autres à celui de maître du monde, utilisateur de la technologie et faiseur de miracles. Le niveau élevé de conscience de soi, l'intelligence et les capacités de communication qui nous ont transportés lors de ce récent voyage haletant jusqu'à l'époque des miracles technologiques ne s'est pas produit dans le bureau d'Alfred Einstein il y a quelques dizaines d'années, mais correspond à un changement qui a dû survenir il y a plusieurs millénaires. Nous avons acquis la faculté de nous comprendre nous-mêmes, de comprendre notre monde, nos relations, nos motivations et les formes de nos vies. Et depuis ce jour, les hommes et les femmes les plus sages n'ont eu de cesse de réfléchir aux grandes questions posées par l'existence, d'en débattre et de pontifier à leur propos. Nous connaissons peut-être aujourd'hui davantage de faits, mais cela ne signifie pas que nous sommes plus avisés.

Nous pouvons pousser cette analyse plus loin, jusqu'à des théories comme la suivante : il se peut que les réponses à nombre de questions importantes qui plongent l'humanité dans la perplexité ne puissent être atteintes par le biais de la technologie ou d'accumulations de données, comme nous en avons l'habitude, mais par d'autres moyens. Par exemple, en effectuant des voyages à travers l'espace immense, à peine exploré, labyrinthique, connu sous le nom de cerveau humain. Comme je l'ai dit, la détention de faits ne signifie pas que nous avons acquis davantage de sagesse, elle peut même exercer l'effet inverse.

Les penseurs les plus féconds de l'humanité sont probablement ceux qui ne se laissent pas distraire par les prétendus outils d'information dont nous sommes entourés : Internet, la télévision, les bases de données électroniques des bibliothèques. Il se peut tout à fait que plus nous disposons de ces « aides à la productivité » qui nous bombardent d'informations, moins nous parvenons à mener de nouvelles pensées créatrices à leur terme, posément et avec consistance.

En fait, nous avons échangé la pensée rationnelle contre un grand nombre de faits. Nous remplissons les bibliothèques d'ouvrages dont la plupart ne sont même pas lus. Puis arrive l'époque de l'informatique, et nous amassons un nombre encore plus important de bases de données. Si nous disposons d'une mine de renseignements de plus en plus riche, nous savons en réalité de moins en moins de choses. Et toutes les distractions qui nous sont offertes réduisent le temps que nous pourrions consacrer à la réflexion en profondeur. Cette situation sera pire pour nos enfants, dont nous truffons l'emploi du temps d'activités extra scolaires et dont nous bourrons les chambres et salles de classe d'ordinateurs et de jouets électroniques. Bien évidemment, nous le faisons dans le but de les rendre plus intelligents, sans voir que nous obtenons exactement l'inverse.

L'angoisse suscitée par l'information est désormais une maladie psychologique reconnue et certaines personnes réalisent la nécessité de cesser de rassembler des bases de données pour commencer à réfléchir à ce que nous savons déjà. C'est là que les voyages dans le passé jouent un rôle capital. Nous imaginons que la société humaine d'antan était plus simple et plus primitive. De toute évidence, les êtres humains étaient jadis moins surchargés d'informations, mais toute analyse historique de leur vie démontre que les relations interpersonnelles, la politique interne et les manœuvres financières étaient aussi complexes qu'aujourd'hui. Et si la vie était peut-être plus simple, elle était également plus rude : la mort ne rôdait jamais très loin, et en raison de la volatilité des rivalités intertribales, les êtres humains devaient toujours rester sur le pied de guerre. Thomas Hobbes, le philosophe anglais du XVIIe siècle, qualifiait la vie dans la nature de « solitaire, pauvre, désagréable, brutale et courte ». Rares étaient les longues périodes de paix et de prospérité. Pour survivre, il fallait rester sur ses gardes.

La théorie selon laquelle les penseurs de l'ancien temps et les méthodes de réflexion classique ont beaucoup à nous apprendre ne présente rien de nouveau. On a « exploité » beaucoup d'écrits classiques pour en tirer des informations estimées utiles de nos jours. *L'Art de la guerre* du Chinois K'ung Tzu a trouvé un regain de vie auprès des stratèges en affaires qui le considèrent comme un classique, si bien qu'on peut se le procurer désormais dans la section consacrée aux « ouvrages de gestion » des librairies de tous les aéroports. D'Europe nous vient *Le Prince* de Machiavel, à présent considéré comme un manuel pour les négociateurs. Une succession de livres d'affaires a été publiée, qui vont chercher des conseils de gestion chez un ensemble d'individus allant d'Alexandre le Grand à Attila, le chef hun. Ces dirigeants historiques de l'Europe et de l'Asie septentrionale ont sans nul doute fourni des leçons remarquables à l'humanité.

Cependant, un grand nombre des classiques de sagesse proviennent de l'Asie centrale et du Sud. Ces écrits ont été célébrés et utilisés par les populations de l'Inde et de ses voisins, non pas depuis des siècles, mais depuis des millénaires. Certains érudits pensent en effet que l'un des plus anciens textes écrits – une série de symboles non décodés gravés sur une pierre de 5500 ans – se trouve dans la vallée de l'Indus, aujourd'hui située au Pakistan. Ces matériaux d'une grande richesse comprennent des légendes, des récits concernant des personnes et des faits souvent stupéfiants, originaux et profondément provocateurs pour l'esprit.

La sagesse remarquable qu'ils contiennent n'a cependant pas encore été rendue accessible au lecteur européen moderne, pressé et harcelé de toutes parts. Ce volume se présente comme une première tentative de remplir humblement cette lacune.

LES PREMIERS GOUROUS

De nos jours, on évoque les *gourous* à tout propos. Ce terme, désignant un maître spirituel, est devenu un nom commun. Un financier qui a réussi est un gourou de l'investissement; un expert en création de sites informatiques est un gourou du Web; un styliste capable de prédire quels vêtements seront portés la saison prochaine est un gourou de la mode et ainsi de suite. Ceux qui sont obsédés par la technologie apprécient particulièrement ce mot, et les dictionnaires de termes informatiques le définissent souvent à l'aide d'un autre terme métaphorique: selon eux, un *gourou* est un *magicien*.

En fait, le mot *gourou* vient de l'hindi et d'autres langues indiennes largement répandues. Ces langues l'ont elles-mêmes tiré d'un mot sanskrit qui se prononce de la même façon, un terme aux racines indo-européennes, parmi lesquelles nous trouvons nombre des plus anciens mots de l'histoire humaine. Ces mots proviennent sans doute de l'aube même du langage, du système de parler primitif qui suivit les grognements et que les linguistes appellent proto-indo-européen, ancêtre commun hypothétique de toutes les langues modernes. Il est intéressant de noter que la signification de ce mot à l'histoire si ancienne n'a pas beaucoup changé : il s'applique toujours à un dirigeant influent, à un guide expérimenté.

L'examen de son utilisation révèle qu'il se réfère presque toujours à quelqu'un en position d'exercer le rôle de mentor. Il est en général associé à un facteur susceptible d'être défini comme un mouvement ou un concept unificateur. En ce sens, le mot moderne a conservé un lien avec ses origines, quand la plupart des gourous étaient des maîtres spirituels ou des chefs religieux. Il fait toujours référence à la tradition du *guru-shishya-parampara* (maître-élève) observée dans l'Inde ancienne, selon laquelle les élèves allaient habiter chez le maître où ils accomplissaient des tâches en échange de la transmission de la connaissance.

Tout cela est assez évident ou en tout cas facilement déductible, dans un monde où les livres sur les « gourous des affaires », nous expliquant comment gagner de l'argent rapidement ou mener une vie heureuse figurent régulièrement sur les listes des best-sellers. Moins évident est ce fait intéressant : les premiers gourous de la réussite dans le domaine professionnel et dans celui du développement personnel étaient de *véritables* gourous.

K'ung Tzu et Nicolas Machiavel peuvent laisser la place. Ces grands hommes vont en effet rencontrer leur égal le jour où seront mieux connus les écrits de Chanakya, un sage né aux Indes environ 350 ans av. J.-C. Comme ces deux théoriciens des structures économiques et sociales, Chanakya était un penseur aux idées fortes, un sage, l'ami des rois et des princes qui écrivit un ouvrage sur la société et la gouvernance. Alors que Machiavel devint l'archétype de l'intrigant politique que rien n'arrête, nous constatons que les stratégies de Chanakya sont beaucoup plus tortueuses, manipulatrices et rusées. C'était un comploteur au tempérament explosif et à l'esprit pervers, qui conçut des plans inouïs pour parvenir à ses fins. La liste de desseins qu'il dressa pour se débarrasser de ses ennemis, d'une longueur stupéfiante, comprenait souvent des explications détaillées sur la manière de laisser « accidentellement » tomber de gros rochers sur leurs têtes.

Imaginez un homme dont le caractère serait un composé de la ruse d'Iago de Shakespeare et de la méchanceté pratique du coyote, dans le dessin animé *Roadrunner*. Un amalgame en apparence improbable, mais qui lui permit de réussir parfaitement et de tirer les ficelles derrière le trône de l'un des plus immenses empires du monde. Robert Boesche, professeur d'histoire sociale à l'Université de Stanford, écrit que Machiavel « aurait été facilement dépassé » par des généraux qui auraient lu les ouvrages de Chanakya.

Nous pouvons légitimement compter Chanakya au nombre des premiers grands stratèges du monde en matière professionnelle et sociale. Il aborda les méthodes permettant d'acquérir le pouvoir de façons que reconnaissent aisément les analystes modernes de la politique des affaires (même si, de nos jours, nous ne faisons plus tomber de rochers sur la tête de nos adversaires, sauf lorsque nous sommes *vraiment* au comble du désespoir). Chanakya consacra également beaucoup de temps à étudier la structure de la société. Une grande partie de ses écrits peut être considérée comme l'œuvre d'un pionnier gourou de la gestion. Parmi les sujets auxquels il s'attaqua figurent les qualités nécessaires pour diriger, les ressources humaines, l'importance de la concurrence, la gestion du temps et une douzaine d'autres questions tout aussi contemporaines. Il n'est cependant que l'un des nombreux exemples que nous citons dans ce livre.

Nous pouvons soutenir qu'un penseur aux idées encore plus révolutionnaires est l'inconnu qui dirigea la construction des cités de la mystérieuse civilisation de Meluhha et résolut des problèmes technologiques d'architecture, de construction mécanique et de distribution de l'eau qui continuent à mystifier les habitants de cette région 4300 ans plus tard.

Nous sommes en présence de l'histoire inouïe d'un dirigeant dont l'innovation exploita l'énergie de l'urbanisation longtemps avant le reste de l'humanité. Ces cités planifiées furent sans doute les premières de ce type dans l'histoire du monde. Le grand mystère, c'est que nous n'avions pas la moindre idée de leur existence il y a un siècle. De nos jours encore, de nouvelles découvertes sont faites sur les habitants de Meluhha et sur leur pays.

Cependant, la plus stupéfiante de toutes les histoires est sans doute celle d'Açoka qui, il y a plus de deux millénaires, organisa une communauté anticipant un nombre impressionnant d'éléments qui appartiennent selon nous à la société postindustrielle. Il instaura un système de santé publique, le finança avec l'argent des impôts afin d'élever le niveau général de forme physique de son peuple. C'était un « vert » passionné, qui s'occupait des forêts et mit en place un fonds pour l'environnement. Il créa même un mouvement pour le bien-être des animaux. Mais avant tout cela, il tua un nombre inimaginable de gens. Il s'agissait d'un individu complexe.

Je pourrais ajouter des anecdotes piquantes pour vous inciter à poursuivre votre lecture, mais pourquoi gaspiller du temps ? Ce volume est assez bref, et vous allez vite y faire la connaissance d'individus extraordinaires dont la vie et les écrits vous inspireront.

Faisons-nous cependant un moment l'avocat du diable. Nous parlons de l'Inde. Des idées en provenance de ce pays peuvent-elles servir d'exemples aux êtres humains d'aujourd'hui ? Ceux qui n'y vivent pas sont autorisés à faire preuve de scepticisme. Ils considèrent en général ce grand État de l'Asie du Sud comme un lieu de misère tentaculaire, mal géré, qui se débat pour nourrir sa population incontrôlable, même s'il atteint quelques chiffres intéressants sur le graphique de la croissance économique. Que peut enseigner l'Inde au monde ?

Cette réaction n'a rien d'illogique, même s'il est possible de la rectifier rapidement. C'est vrai, l'Inde a connu des combats difficiles, particulièrement au siècle dernier, mais il est important de se rappeler qu'au cours d'une grande partie de l'histoire recensée, l'Inde, succession d'empires riches et militaires, a constitué une puissance essentielle dans le commerce international. Par le passé, elle a été une société innovatrice, à l'origine de nombreuses « premières » mondiales.

La civilisation de Meluhha peut en effet être considérée comme la plus vaste des premières conurbations, pour ce qui est de la taille et du développement. C'est en Inde que les humains apprirent les rudiments de l'écriture. Le premier transport sur roue émane de ce pays, ainsi que le premier filage du coton à large échelle. C'est là-bas que furent développés certains des outils fondamentaux des mathématiques qui rendirent possible la science informatique. Les empereurs de l'Inde et leurs sages développèrent des méthodes de gouverner qui offrent des modèles à nos sociétés contemporaines.

On connaît très peu l'histoire de l'Inde à l'extérieur du pays lui-même. Cela est bien dommage, dans la mesure où cette histoire déborde de récits époustouflants d'accomplissements humains. Prenons simplement comme exemple la cité indienne de Vijayanagar qui connut une période florissante entre les XIVe et XVIe siècles, dans le sud du pays. À l'apogée de son influence, elle était la capitale d'un immense empire qui recouvrait tout le pays. Cette véritable métropole faisait cent kilomètres de circonférence. Ses partenaires commerciaux s'étendaient de l'Europe à l'Asie orientale. Elle était célèbre pour ses écrivains et ses artistes. Lorsque l'armée impériale fut vaincue lors d'une bataille en 1565, le seul dirigeant survivant quitta Vijayanagar en emportant son trésor

sur le dos de 550 éléphants. De nos jours, tout homme d'affaires esti-
merait sans nul doute qu'il s'agissait là d'un parachute doré pour le
moins conséquent.

SE RACCORDER À UNE SOURCE PRÉCIEUSE

Je vais vous faire voyager à travers les écrits remarquables de l'Inde ancienne, les commentaires historiques, les contes, les mythes et les légendes
qui contiennent l'essence de la sagesse de plusieurs millénaires de pensée
humaine. Nous rencontrerons les auteurs de ces écrits (Vatsyayana), ceux
qui y sont dépeints (Siddhartha) ou qui ont vécu selon les textes anciens
(Chandragupta).

L'homme qui écrivit l'*Arthasastra* apparaît comme un preneur de
notes invétéré dans le sens classique du terme, puisqu'il passait son
temps à griffonner des idées, des plans et des aphorismes. Nous rencontrerons également l'un des plus impressionnants bâtisseurs d'empire
de l'histoire mondiale en la personne de Chandragupta Maurya, qui
n'était pas écrivain mais qui appliqua à sa vie nombre des règles de l'*Arthasastra*. Quant à Siddhartha Gautama, le fondateur de l'une des principales traditions religieuses, il n'écrivit rien de sa plume, mais ses
disciples se chargèrent de relater sa vie de sage. Ce récit est lié à celui de
l'empereur Açoka qui tint en quelque sorte une chronique sculptée dans
la roche. Pour tenter très logiquement d'atteindre l'immortalité (non
pas pour lui, mais pour sa philosophie), il fit graver ses pensées sur de
gigantesques piliers de pierre qui furent érigés dans tout son pays et dans
les pays voisins.

Un grand nombre des récits circulant en Inde au sujet des personnages évoqués dans ce livre ne sont que des contes de fées rédigés par
des écrivains à l'imagination débridée. On raconte par exemple que

Siddhartha Gautama était un homme divin aux yeux et aux sourcils bleus. Açoka est censé avoir assassiné 99 demi-frères. Le conducteur du char d'Arjuna aurait été un dieu détenant des pouvoirs supérieurs, digne de Superman. Comme mon livre est destiné aux personnes qui travaillent de nos jours, j'ai fait preuve d'une sérieuse dose de scepticisme pour relater de manière rationnelle la vie de ces individus célèbres. Je ne m'attache qu'à des personnages qui ont vraiment vécu et je m'inspire de véritables accomplissements, et non de fantasmes. En d'autres termes, je me suis efforcé d'atteindre la vérité historique et l'authenticité et j'ai omis presque tous les récits manifestement créés de toutes pièces.

Cela n'empêche pas que nombre d'histoires irrésistibles truffent l'histoire de l'Inde ancienne, dont certaines trouvent probablement plus ou moins racine dans des faits. Je les ai incluses en conservant leur forme populaire de narration, car elle permet de les lire et de les retenir plus facilement. Certains historiens de stricte obédience (dont je ne fais pas partie) en seront peut-être horrifiés, mais une certaine marge de manœuvre peut se révéler fort utile. Je ne me suis pas privé de faire appel à mon imagination pour reconstruire ces récits sous une forme vivante et lisible. Les magnétophones n'existaient évidemment pas à l'époque, mais cela n'empêche pas certaines anecdotes de traduire les personnalités de leurs auteurs avec une superbe précision.

Quant aux citations directes des textes anciens, je les ai transposées des traductions anglaises d'origine, souvent archaïques, dans une langue simple, limpide, moderne. Si mon ouvrage comprend une somme assez importante de citations, directes ou indirectes, de ces textes, vous ne les y trouverez pas dans leur totalité. J'espère que votre lecture vous incitera à identifier les écrits classiques qui vous inspirent le plus et à aller à la recherche des textes originaux.

Pour commencer néanmoins, permettez-moi de présenter celui qui va vous servir de guide touristique. Je suis un auteur de textes de fiction et d'essais, qui passe une grande partie de son temps à prendre la parole devant des auditoires composés de gens d'affaires. En cette qualité, je suis très au fait de la catégorie de livres et de discours parfois catalogués dans la rubrique « inspiration professionnelle ». Ces derniers sont bourrés de citations de chefs d'entreprises occidentaux. Certaines sont très intéressantes, mais la plupart sont loin de présenter l'originalité et la stimulation mentale que comportent les conseils de gestion et de direction en provenance de l'Orient. Les vieux sages indiens étaient intelligents, ils brassaient vigoureusement les conseils spirituels, professionnels et personnels pour en tirer un mélange léger d'une grande saveur, qu'ils saupoudraient ensuite d'un zeste de bouddhisme zen.

Malgré son ancienneté, ce matériau apparaît nouveau. J'ouvre et je referme mon livre par des références au *Kama Sutra*, mais il évoque d'autres textes superbes, tels que la *Baghavad-Gîtâ*, qui conte l'histoire fascinante d'un prince hésitant sur le champ de bataille, alors que la guerre va être déclenchée : ceux qu'il doit tuer sont des cousins avec qui il est brouillé. S'il ne les tue pas, ce sont eux qui le tueront. Il s'agit, comme le *Kama Sutra*, d'un livre dont beaucoup de gens connaissent bien le titre.

Cependant, le vrai récit, l'histoire qui le sous-tend, et les leçons que nous en tirons constitueront une découverte pour la majorité des lecteurs. Vous trouverez aussi de nombreuses citations des œuvres de Chanakya, inconnues hors de l'Inde et, tristement, fort peu célébrées par la communauté dont elles émanent. L'auteur que je suis se sent privilégié de pouvoir les présenter, aussi bien à l'Inde qu'au monde en général.

Vous allez sans doute tomber sur des références à des livres et à des personnes dont vous n'avez jamais entendu parler. J'imagine qu'une fois que vous vous serez familiarisé avec eux, vous ne pourrez plus jamais les oublier. Nous sommes sur le point de nous embarquer pour un voyage au cours duquel nous ferons des rencontres et lirons des livres qui nous permettront vraiment de redonner de l'allant à nos vies professionnelle et personnelle.

Le monde est sans doute aujourd'hui fort différent de ce qu'il était il y a quarante siècles. Mais les êtres humains? Ils n'ont probablement pas changé d'un iota. Le morceau bioélectrique de matière molle qui dirige la société n'a jamais eu besoin d'être revalorisé.

1

LE TOUT PREMIER
CONSULTANT EN GESTION

Un sage rassemblant le matériel destiné à l'*Arthasastra*, premier traité sur les affaires jamais écrit, définit les principes stratégiques qui détiennent encore aujourd'hui le pouvoir de transformer.

LE MORT QUI MARCHAIT

Un homme mort pénétra dans le village et laissa ses pas le diriger vers l'arbre qui se dressait en son centre. Ses jambes remuaient, et il donnait l'impression de respirer, mais ses yeux étaient fixes et vitreux, et son visage présentait un masque inexpressif.

Son apparence avait de quoi intriguer. Personne ne l'aurait trouvé beau, avec ses traits pincés, sa peau sombre, son corps émacié et sa mâchoire édentée, mais la tunique onéreuse dont il était vêtu lui donnait une certaine allure. De toute évidence, il s'agissait soit d'un noble, soit d'un personnage important, soit d'un moine de rang élevé. Détail incongru : si sa tenue était soignée, ses cheveux longs et détachés pendaient dans son dos alors qu'ils étaient rasés sur le devant. On avait l'impression qu'il avait perdu le bandeau qui les retenait. Lecteur et écrivain invétéré, il transportait probablement des morceaux de parchemin. Mais c'était surtout son expression qui retenait l'attention : tellement figée qu'elle le faisait ressembler à un cadavre ambulant.

Vishnugupta Chanakya avait la tête engourdie. Homme orgueilleux et arrogant, il avait vécu jusque-là une vie agréable. En une seule journée, tout s'était écroulé autour de lui. Son ascension météorique vers la grandeur avait débuté dès l'enfance, sans presque connaître un jour de répit. Excellent élève, il était entré dans la meilleure université de sa région à seize ans, et y était devenu par la suite enseignant et gourou. Au fil des derniers mois écoulés, son pouvoir avait augmenté de manière particulièrement rapide et grisante, puisque de professeur, il était devenu membre de la classe dirigeante. On le considérait comme l'un des hommes les plus intelligents et capables du pays, méritant bien sa place parmi les conseillers spéciaux du souverain. Il donnait l'impression d'être incapable de se tromper.

Pourtant, en cette sinistre journée, sa carrière était allée droit dans le mur. Chanakya faisait partie des fonctionnaires de la cour royale. Il était chargé du *Sungha*, le fonds royal de charité. Malheureusement, la relation qu'il avait soigneusement construite avec le souverain, le roi Dhana du Magadha, issu de la dynastie Nanda, s'était considérablement détériorée et avait fini par imploser. Le chemin n'avait jamais été de tout repos : leur collaboration professionnelle avait mal débuté, car le souverain, un homme brutal, n'aimait pas travailler avec des gens laids. Chanakya avait cependant réussi à se faire accepter de lui et à obtenir ce poste officiel de chargé des actions de bienfaisance, qui lui convenait parfaitement.

Le Magadha, situé de nos jours au nord-est de l'Inde, était l'un des fiefs les plus vastes à dominer jadis ce pays.

Ce sage était un excentrique. Il avait pour habitude de porter ses cheveux longs noués en une queue de cheval en haut du crâne. Il se comportait avec un manque de tact abrupt, néanmoins compensé par son sens de l'équité et sa préoccupation de la justice (cadet des soucis, en apparence, du roi Dhana). Chanakya avait un faible pour les opprimés. Il se plaisait à créer des lois qui interdisaient de tirer profit des femmes et des enfants ou de molester les serviteurs. Il faisait tout pour obtenir l'assurance que les fonctionnaires n'exploitaient pas les pauvres. Il estimait important de soigner les malades et les infirmes. La direction d'un fonds de charité représentait donc un travail idéal pour lui. Ou l'avait représenté, jusqu'à ce jour précis.

Quelle goutte d'eau avait pu mettre un terme à sa carrière ? Aucune source historique ne nous rapporte l'incident exact, mais de nombreuses légendes circulent au sujet de Chanakya. Une tradition particulière, au cours de laquelle se déroula une violente altercation entre le roi et lui, semble avoir transformé le souverain et son fonctionnaire en ennemis jurés.

Une réception grandiose avait été organisée pour dix dirigeants du pays : les invités d'honneur seraient les dix personnes les plus importantes de Pataliputra, la capitale du royaume du Magadha. Il s'agissait de neuf membres du clan Nanda et du maître des Vedas, l'enseignant le plus érudit des écrits anciens. Chanakya fut exaspéré d'apprendre que le dixième siège avait été réservé à un jeune homme prénommé Subandhu, flagorneur qui ignorait pratiquement tout des textes sacrés. Chanakya avait le sentiment d'être né pour occuper ce siège, lequel ne servait pas seulement à s'asseoir mais symbolisait son rang. Son intelligence légendaire avait été remarquée dès l'âge de quatre ans, puisqu'il récitait déjà à l'époque de longues sections des Vedas.

Il décida donc de s'octroyer ce qu'il estimait lui revenir de droit. Il entra d'un pas décidé dans la salle et alla occuper le dixième trône, devant la dixième assiette d'or. Cet événement se produisit sans doute, s'il est véridique, à l'intérieur de Rajagriha, la citadelle royale des Nanda.

En arrivant, les invités royaux, dont Subandhu, furent agacés de constater que la fête qu'ils avaient préparée avec méticulosité avait été bouleversée. Hors de lui, un des membres de la famille royale, Sukalpa Nanda, donna brutalement l'ordre à l'intrus de libérer la place. Chanakya ne bougea pas d'un pouce. Il expliqua calmement que ce siège était réservé non pas à un individu, mais au détenteur du titre de « Maître des Vedas ». Comme il s'agissait de lui, la place lui revenait. Si quelqu'un mettait en doute son droit de détenir ce titre, il était volontiers prêt à se lancer dans un débat littéraire destiné à prouver que lui seul, et personne d'autre, (sans doute a-t-il alors lancé un regard acéré à Subandhu) était autorisé à l'occuper.

Les membres de la famille royale lui donnèrent l'ordre de se lever et l'insultèrent. Sukalpa l'aurait traité d'« affreux singe noir ». Chanakya leur répondit qu'ils pouvaient ne pas partager son avis, mais qu'ils étaient cependant contraints de suivre son raisonnement, puisque les principes absolus du *dharma* (action vertueuse) devaient être observés par tous, y compris par les personnages de sang royal. « De plus, je suis peut-être noir comme un singe, mais les érudits sont reconnus pour ce qu'ils possèdent à l'intérieur, et non pour leur apparence », aurait-il répliqué.

Il était allé trop loin. Son insolence indisposa les jeunes gens de la famille royale qui donnèrent l'ordre aux gardes de l'expulser par la force.

– Sortez-le en le traînant par sa queue de cheval, commanda Sukalpa.

Le roi Dhana Nanda déclara que Chanakya était désormais déchu de son poste de président du fonds royal de charité. Chanakya continuant à résister, Sukalpa sortit de ses gonds et franchit un pas de plus en ordonnant sa mise à mort. Sous le choc, un ministre du nom de Subuddisarman intercéda en sa faveur :

– Non, je vous en prie, accordez-lui votre pardon.

Chanakya, raide de fureur, descendit du siège. Sa célèbre queue de cheval se balançait dans son dos. D'un geste preste, il en ôta le bandeau, si bien que ses cheveux se répandirent sur ses épaules.

– Je jure de ne pas renouer mes cheveux tant que je ne pourrai pas le faire dans un royaume dirigé par un souverain juste et sage, déclara-t-il – ou une formule du même ordre.

Et il sortit de la salle, furieux.

Nous pouvons imaginer le silence embarrassé qui suivit son départ en fanfare. Ses dernières paroles résonnaient sans doute comme une menace. Je vois tout à fait le roi Dhana essayer de ranimer la bonne humeur de la soirée par un commentaire ironique sur les propos de son fonctionnaire. De toute façon, de quelle manière pouvait se venger un homme seul et désarmé ?

Quelques heures plus tard, Chanakya se retrouva dans un village situé à l'orée d'une forêt, dans la périphérie de la ville de Pataliputra. Des villageois curieux observaient probablement du seuil de leur porte ce membre de la cour égaré qui faisait irruption, l'air ailleurs, dans leurs vies. Des petits enfants se cachaient sans doute derrière les jambes de leur mère, tandis qu'une bande de garçons qui travaillaient dans des champs voisins jetaient des regards dans sa direction.

Nous pouvons imaginer cet homme, victime de ce que nous qualifierions de nos jours d'une chute d'adrénaline, passer lentement devant le centre communautaire du hameau et s'engager sur le chemin qui en sortait. Mais la voie était obstruée par un buisson d'épines envahissant, plus haut qu'un homme. Il s'immobilisa pour le contempler, en apparence indécis. Il se trouvait à une croisée des chemins, et sa voie était bloquée, au sens littéral comme au sens figuré.

CE QUI S'ENSUIVIT...

Vishnugupta Chanakya vécut il y a plus de vingt-trois siècles, et nous connaissons très peu de détails sur sa vie. Nous disposons d'un mélange d'éléments historiques, de légendes, de mythes et d'histoires. En fait sans doute partie une portion de matériel digne de foi : seules de rares anecdotes font allusion à des miracles et à des présages. Aucune d'elles ne le décrit comme un homme grand, beau et semblable à un dieu (attributs ordinaires des héros dans la création des mythes indiens). La plupart sont les relations d'incidents de l'existence d'un homme plutôt irascible, au caractère bouillant, vilain physiquement et de taille inférieure à la moyenne, susceptibles de tirer leur origine de véritables événements.

Nous disposons également de ses écrits, auxquels fut accordée une valeur suffisante pour qu'ils nous soient transmis en un ensemble d'apparence plutôt cohérente, même si des signes indiquent qu'ils ont été largement coupés, embellis et augmentés. Les seules éditions ayant survécu jusqu'à l'époque actuelle n'ont été publiées que plusieurs siècles après sa mort.

L'historien rencontre donc certaines difficultés, mais il a ample matière à conjecture. Nous ignorons par exemple comment débuta exactement la relation entre Chanakya et une certaine famille d'un village situé à la périphérie de Pataliputra, même si nous avons la certitude qu'elle exista bel et bien, puisque cette amitié modifia le cours de l'histoire. De source sûre, nous savons que cet homme sage mais excentrique fut élevé (et naquit probablement) au Magadha, dans le nord-est de l'Inde, sous le nom de Vishnugupta. Il acquit la notoriété sous celui de Chanakya, qui signifiait probablement « fils de Chanak ». Son père était un enseignant.

Excellent élève, on l'envoya faire ses études à l'université de Taxila, ville située à l'extrémité opposée du pays – au Pakistan actuel. (Pour certains, c'est d'ailleurs là qu'il serait né.) Il s'agissait de l'une des meilleures universités au monde, d'une institution déjà légendaire, vieille d'un demi-millénaire, lorsqu'il y arriva pour y suivre ses premiers cours. Des élèves de toute l'Asie venaient y étudier, et les nobles choisissaient souvent d'y envoyer leurs fils. On raconte que l'un des professeurs avait une classe comptant plus de cent élèves, dont chacun était un prince.

Le petit Chanakya au teint noiraud et à la silhouette noueuse, à l'esprit rapide et acéré, fit des étincelles à l'université où on lui proposa rapidement d'intégrer le corps enseignant. Lorsque l'invasion des Grecs, menés par Alexandre le Grand, provoqua des troubles dans le nord de l'Inde, et en particulier dans la région aux alentours de l'université, Chanakya retraversa le pays pour regagner le royaume du Magadha où il avait grandi.

Là fut reconnue la qualité suprême de ses dons de théoricien et d'orateur. On lui attribua un poste à la cour du clan Nanda, où il travaillait pour le roi Dhana. Cette affectation parut tout à fait légitime. Sa trajectoire, toute sa vie, allait dans une seule direction : vers le haut.

Malheureusement, le palais était un lieu où régnaient les intrigues. Le roi, un individu désagréable, de parti pris, était célèbre pour sa créativité en matière de nouveaux impôts qui lui permettaient d'extorquer de l'argent à ses sujets. Du coup, les courtisans s'étaient transformés en bêtes politiques, au pire sens du terme. Personne ne faisait confiance à son voisin et tout le monde manigançait pour obtenir des postes. Au départ, Chanakya s'était placé au-dessus de la mêlée, mais il avait probablement dit trop souvent la vérité, fait preuve de trop d'intelligence, eu trop souvent raison, de telle sorte qu'il s'était transformé en menace. Le roi s'était tourné contre lui. Les courtisans s'étaient empressés de soutenir leur souverain. La relation avait eu vite fait de se détériorer. Et après cette violente altercation à la réception, Chanakya s'en était allé pour de bon.

Par cette journée sinistre, il avait donc déambulé dans les rues de Pataliputra, complètement déboussolé, et ses pieds l'avaient conduit jusqu'à ce village. Que faisait-il là ? Avait-il eu l'intention de s'y rendre ou s'était-il contenté de prendre cette direction par hasard ? Nous apprenons qu'il fut tiré de sa sombre rêverie par l'obstacle qui obstruait sa voie.

Il l'étudia. J'imagine que le buisson d'épines était une espèce de touffe d'*eragrostis superba*, aux frondes terminées par des aiguilles acérées. Il avait dû pousser spontanément au bord du chemin et se développer jusqu'à en interdire le passage. Le sentier ne pouvait pas être élargi du côté opposé, même si les récits ne nous disent pas pourquoi : peut-être le terrain était-il trop pentu ou parcouru par un cours d'eau.

Chanakya constata que des gens avaient taillé le buisson pour le rétrécir. Il aperçut probablement des piles de frondes jaunies, là où les villageois avaient tailladé les feuilles, mais sans parvenir à leurs fins : le buisson d'épines n'avait cessé de repousser, de plus en plus robuste et dru. Il était donc devenu infranchissable.

J'imagine comment ce sage tellement doué pour l'analyse considéra la situation : le village, les gens, le chemin obstrué. Pour quelle raison le destin, ou son inconscient, l'avait-il guidé en ce lieu ? Pataliputra n'était pas une grande ville, mais il devait probablement en avoir déjà entendu parler. Y vivaient certains membres éloignés de la famille royale – un groupe de parents plutôt démunis, comme l'indiquait nettement l'état de l'agglomération.

Une lumière s'éclaira dans ses yeux. J'imagine qu'il s'adressa aux villageois :

– Ce buisson d'épines empêche de sortir de votre village, non ?

Les villageois le lui confirmèrent.

– Nous devrions donc nous en débarrasser.

L'histoire raconte que les hommes lui expliquèrent qu'ils avaient bien tenté de le raser mais qu'il repoussait toujours. Ils avaient essayé de creuser jusqu'à ses racines, mais elles étaient trop profondes et trop résistantes pour être extraites.

Chanakya noua rapidement connaissance avec le groupe d'adolescents qui s'étaient approchés de lui par curiosité. Il leur demanda d'aller lui chercher un bâton pour creuser. L'un d'eux, au maintien quasi royal, chargea les autres de lui apporter tout ce dont il avait besoin.

Le sage entreprit de creuser sous le buisson d'épines. Après un rude labeur, les racines blanches se retrouvèrent en partie dénudées tout autour du buisson. Il s'adressa de nouveau à l'adolescent qui avait retenu plus tôt son attention.

— Va me chercher un récipient empli de sirop chaud au sucre de canne.

Comme la première fois, le garçon transmit ce message à ses compagnons. Chanakya était intrigué par cet enfant impérieux et royal qui portait peut-être bien le surnom de Garçon Paon – dérivé de son nom de famille : Maurya, censé provenir du mot sanskrit *moyira* qui désigne l'oiseau indien royal et son allure majestueuse.

Le récipient de boisson sucrée arriva.

J'entends d'ici un villageois demander, le doigt pointé dessus :

— Le travail donne soif ?

— Ce n'est pas pour moi, répliqua Chanakya.

Sur ce, il versa avec précaution l'eau sucrée le long des racines dénudées du buisson. Il termina par en saupoudrer les feuilles.

Moins d'une heure s'écoula avant que commence l'attaque du buisson. Et cette fois, elle n'était pas menée par des hommes. Chanakya se détendait, assis adossé à l'arbre du village, sans doute avec un autre récipient de sirop au sucre de canne. Le Garçon Paon et les autres villageois venaient lui raconter la progression de la bataille.

Avez-vous constaté ce qui se passe quand on verse une boisson sucrée sur le sol dans l'Inde du nord-est torride et luxuriante ? Arrivent d'abord les fourmis ordinaires. Puis les fourmis soldats. Puis les scarabées. Puis les mouches. La boisson sucrée et poisseuse versée sur les racines de la plante se transforma en grouillement d'insectes. Le sucre répandu sur les feuilles attira aussi des chenilles et d'autres bestioles avides de ce festin.

Selon la légende, le buisson se transforma rapidement en squelette vacillant. Il s'écrasa. Le Garçon Paon donna à ses amis l'ordre de l'emporter.

Chanakya venait de leur transmettre le message suivant : Lorsqu'un buisson d'épines obstrue votre chemin, ne vous battez pas contre lui. Réfléchissez longuement à la situation. Une fois que vous avez soupesé chaque option, mettez au point un plan d'intervention – ce que nous appelons une stratégie. Puis, rassemblez le plus grand nombre d'amis possible. Ils n'ont pas besoin d'être grands et puissants. Ils peuvent être petits. Si votre cerveau fonctionne correctement et que vous avez les amis adéquats, vous pouvez vous débarrasser de n'importe quoi.

Les villageois le remercièrent avec gratitude d'avoir déblayé le chemin.

Mais ce n'était pas du buisson d'épines que Chanakya leur parlait.

DÉMARRER PAR UNE STRATÉGIE

L'histoire extraordinaire du cheminement de Chanakya, du pouvoir à la disgrâce et de son retour au pouvoir est en fait le récit d'une bataille contre une adversité impossible.

Le roi Dhana détenait un pouvoir extraordinaire. Il avait une armée sur le pied de guerre et la capacité d'enrôler tout individu. Il disposait de fantassins cuirassés, armés d'épées, de boucliers, de flèches et de différentes sortes d'arcs. Il avait des cavaliers. Il avait des éléphants de guerre. Quant à son palais, il était entouré d'épaisses fortifications.

En revanche, son adversaire ne disposait que d'une arme, mais de taille : son cerveau. Car Chanakya était un stratège à nul autre pareil. Un millénaire avant Machiavel, il s'installa avec une feuille de palme en guise de papier et imagina un plan – pervers, alimenté par la fureur, rusé et astucieux – pour évincer le clan Nanda. Il était avant tout un analyste de génie, convaincu que chaque bataille, facile ou en apparence impossible, devait être étudiée en détail. Sa formation universitaire lui fut très utile pour la stratégie militaire. Une fois passé en revue chaque détail de chaque facteur, apparaissaient au grand jour les faits précis de la situation : il existait toujours une différence nette entre les hypothèses et la réalité de terrain. *Celui qui connaissait cette différence bénéficiait d'un avantage certain.* On ne pouvait imaginer une stratégie d'attaque qu'une fois acquise la certitude d'avoir assimilé toutes les composantes. Une confrontation directe, face à face, n'était qu'un jeu de dupes quand on avait affaire à un ennemi plus fort que soi. Il fallait employer une panoplie de moyens, évidents et cachés, directs et indirects, francs et détournés, attendus et inattendus.

Chanakya était un griffonneur obsessionnel. Équipé de son matériel d'écriture, il s'installa afin de déterminer exactement quels défis il allait devoir affronter et quelle stratégie il devrait utiliser pour les surmonter.

- Premier problème : le roi Dhana disposait d'une armée importante et puissante, alors que Chanakya n'en avait pas.

- Analyse : le roi était un piètre dirigeant, impopulaire de surcroît. Il s'était par conséquent fait des ennemis, constitués par la plus grande partie de la populace, ainsi que par des habitants de pays voisins.

- Solution : mettre ces ennemis dans son camp. L'armée du peuple n'est pas aussi importante que le peuple. Faire équipe avec les autres dirigeants, adopter une stratégie de bataille complexe, attaquer sur des fronts multiples pour détourner ses forces et les mettre en déroute.

- Deuxième problème : du sang royal coulait dans les veines du roi Dhana, mais pas dans celles de Chanakya.

- Solution : se rassembler derrière un roi de remplacement, un jeune homme de sang royal aussi, et prétendre qu'il était l'héritier «légitime» du trône. Mettre le pouvoir du *dharma*, de la vertu, de son côté.

- Troisième problème : le roi Dhana, en raison de sa grande famille et de ses contacts puissants, avait une assise de pouvoir très solide.

- Solution : utiliser la religion, système de croyances encore plus profondément enraciné parmi la population. S'appuyer sur le fait que l'héritier légitime et son conseiller étaient tous deux des brahmanes, alors que le roi Dhana ne descendait que d'un simple barbier de la famille royale.

- Quatrième problème : les généraux du roi disposaient d'un réseau de renseignements efficace, mis en place depuis des années.

- Solution : faire appel à un réseau d'espions, pour s'assurer que les rebelles avaient au moins autant d'informations que les généraux. Créer un groupe d'hommes infiltrés qui divulgueraient délibérément de la désinformation pour embrouiller les hommes du roi et les pousser dans la mauvaise direction.

Chanakya avait besoin de son propre roi. Et l'adolescent que nous avons appelé le Garçon Paon, Chandragupta Maurya, se révéla le choix idéal. Pour commencer, il était de sang royal et il possédait la personnalité assortie. On trouvait souvent le nom de famille Maurya parmi les descendants de dompteurs de paons. En l'occurrence, le jeune homme semblait tout à fait le mériter. On nous raconte qu'il se conduisait avec la majesté d'un paon, et qu'il était devenu tout naturellement le chef des jeunes gens du village. Il était courageux, sûr de lui, et il savait se faire écouter. Il ne possédait pas de royaume, mais il avait le *tempérament* d'un roi.

D'un point de vue purement historique, nous devons préciser que nous ne pourrons jamais prouver que la rencontre de Chanakya avec le Garçon Paon dans le village se déroula dans les conditions rapportées par la tradition. Les érudits déclarent que comme Chanakya était professeur d'université dans un établissement fréquenté par les jeunes gens de bonne famille, le jeune Chandragupta, né de sang royal, n'était peut-être que l'un de ses étudiants. Selon une autre légende, le jeune Chandragupta rencontra Alexandre le Grand qui lui donna envie de se transformer en combattant, en tout cas pour évincer les Grecs du nord-ouest de l'Inde.

Mais quelles que soient les circonstances véridiques de la rencontre entre Chanakya et Chandragupta, les composantes essentielles de leur relation ne font pas de doute. Ils devinrent maître et élève, et ils étudièrent des sujets qui n'avaient rien à voir avec ceux inscrits au programme universitaire. En qualité de professeur à l'université de Taxila, Chanakya avait l'habitude de prodiguer un enseignement empli de fermeté aux jeunes gens. Mais en cette occasion, il allait se servir de son savoir-faire pour les préparer à autre chose : prendre le pouvoir d'un royaume majeur.

COMMENT VAINCRE UNE ADVERSITÉ IMPOSSIBLE

Apparemment, Chanakya ne se déplaçait jamais sans une collection de notes. On l'associe, dans l'histoire de l'Inde, à toute une série d'aphorismes avisés et excentriques. Plus loin, nous nous pencherons sur des idées contenues dans des livres de sa plume, plus particulièrement celui intitulé *Arthasastra*. Bien que peu connu aujourd'hui hors de l'Inde, ce livre constitue une mine d'idées sur la gestion et sur les techniques stratégiques. Mais avant de nous y consacrer, nous allons étudier les leçons que nous pouvons tirer de la vie de l'homme qui le rédigea. Ce sage présente la particularité magnifique d'avoir essayé de toutes ses forces de s'assurer l'immortalité grâce à ses livres. Comme pour beaucoup d'individus qui écrivent l'histoire, sa vie elle-même se transforma en cours pratique sur la manière d'atteindre la grandeur. Ses efforts stupéfiants pour obtenir le pouvoir nous apprennent beaucoup de choses.

Vous détenez déjà l'arme secrète la plus puissante
que vous pouvez souhaiter.

Lorsque Chanakya dénoua ses cheveux et déclara la guerre au roi Dhana Nanda, il ne disposait ni de la moindre arme ni de la moindre armée. Il n'avait que son assurance et sa détermination. Il possédait ce que nous appellerions aujourd'hui la bonne disposition d'esprit. Cela suffisait. Il s'agissait de l'élément clé, de la boule de neige qui dévale du sommet de la montagne et déclenche l'avalanche. Si l'on est déterminé, intelligent, résolu et assoiffé de succès, tout ce dont on a ensuite besoin passe au second plan.

Le roi Dhana possédait les signes extérieurs de la réussite : l'armée, la cavalerie, les épées, les lances et le palais aux murailles épaisses. Cependant, il ne détenait pas la concentration psychologique ni le pouvoir mental de se raccrocher à ces symboles. Il n'était pas assez déterminé ou pas assez intelligent ; il n'était pas doué de la faculté de réfléchir en termes stratégiques.

Combien de fois nous arrive-t-il, assis à notre bureau, de penser : « Si seulement j'avais X, je pourrais obtenir Y » ? Nous nous servons de notre manque d'une pièce de matériel, grosse ou petite, comme excuse pour nous interdire d'avancer dans une direction donnée. Si seulement j'avais un ordinateur plus puissant, je pourrais concevoir un splendide site Web. Je pourrais écrire un grand livre. Si seulement j'avais une petite boutique, je pourrais être un superbe vendeur. Si seulement j'avais un studio, je pourrais être peintre. Et l'excuse la plus courante de toutes : si seulement j'avais de l'argent, je pourrais en gagner davantage.

Attention, je ne dis pas que nous n'avons besoin ni d'argent ni de matériel pour réussir en affaires. Beaucoup d'éléments sont nécessaires pour nous aider en chemin. Chanakya aussi en avait besoin d'un grand nombre : il avait besoin d'un roi dont il pouvait se faire le champion, ainsi que d'une armée. Ce ne sont pas des ingrédients que l'on trouve sous les sabots d'un cheval.

Mais il ne s'en inquiétait pas. Il se rendait compte qu'ils étaient secondaires. Lorsqu'il formula le vœu de garder ses cheveux détachés tant que le roi n'aurait pas été remplacé, il ne possédait aucun des éléments matériels qui lui étaient nécessaires, mais uniquement la détermination de ne se laisser arrêter par rien, tant qu'il n'aurait pas atteint son but. Si vous êtes résolu, vous avez entamé votre voyage vers votre objectif.

Voici un exemple type : un homme qui avait été éducateur physique pendant vingt ans m'a raconté que deux types de clients s'adressaient à lui : « Il y a d'abord ceux qui pensent que la première étape consiste à entrer dans une boutique pour acheter un maximum d'articles et de vêtements de sport. Ils feuillettent les magazines et les catalogues et dépensent une petite fortune. Les autres pensent que la première étape consiste à sortir de chez eux et à entamer un jogging. Ce second groupe l'emporte haut la main. Le premier possède l'équipement ; le second, la détermination. Il vous suffit de décider de le faire et de passer à l'acte. » Prendre la décision et se mettre à l'œuvre. Une fois que vous emprunterez la route, vous rassemblerez les éléments nécessaires en chemin – ou ils viendront à vous.

Pour construire n'importe quelle grande chose,
vous avez besoin d'une grande équipe.

« À elle seule, une roue ne peut rien déplacer, écrit Chanakya dans les notes qui devinrent l'*Arthasastra*. On ne peut diriger que si l'on est secondé. » Vous avez là l'un des thèmes essentiels de la sagesse de cet homme.

Chanakya n'aurait jamais pu vaincre à lui seul le roi Dhana ou tout autre membre du clan Nanda. Il aurait sans doute été vaincu dans toute bataille livrée au corps à corps avec n'importe quel individu de cette famille ou n'importe lequel de ses domestiques. Il n'était après tout qu'un érudit malingre, un individualiste excessif, un homme chétif, objet du sobriquet insultant de « singe ». Cela ne l'empêcha pas de vouloir renverser une dynastie entière, un royaume protégé par une armée gigantesque. Comment s'y prit-il ? Au départ, en ayant conscience de ses propres limites : il n'était pas en position de livrer la moindre bataille lui-même. Il devait rassembler autour de lui les personnes appropriées pour atteindre son but.

Ce sont des problèmes que nous devons affronter : nous avons tous des ambitions plus ou moins floues et nous devons beaucoup réfléchir pour les mettre en œuvre. Quels sont nos buts ? Que souhaitons-nous exactement obtenir ? La « réussite » n'est pas une bonne réponse. « L'argent » non plus n'est pas une bonne réponse. « Du vin, des femmes et des chansons » est un objectif un peu trop vague. De nombreux livres d'affaires nous encouragent à coucher sur le papier nos buts et visées. Ce conseil est avisé. Il s'agit d'une démarche qui devrait venir naturellement aux ambitieux. Nous voulons accomplir quelque chose. Il nous reste donc à circonscrire précisément quoi et à établir un plan pour y parvenir. Mais la question suivante ne surgit pas si spontanément : de qui pouvons-nous nous entourer pour assouvir notre ambition ?

Les personnes ambitieuses ont souvent tendance à se fier à leurs facultés – souvent même, à *trop* s'y fier. Nous nous focalisons sur nos points forts, sans nous rendre compte que nous avons *tous* besoin d'équipiers et que le choix de nos partenaires jouera un rôle crucial dans notre succès. L'incapacité à comprendre ce détail est étonnamment courante, y compris chez les gens d'affaires les plus actifs. Jusqu'à un certain point, il est normal que les futurs dirigeants craignent de bâtir une équipe. Pour de nombreux entrepreneurs, le contrôle des dépenses et des bénéfices est vital. Ils ne veulent pas étoffer leur personnel – en particulier par des employés de haut niveau qu'ils devront payer grassement et qui participeront au processus décisionnel. Les ambitieux ont souvent envie d'accomplir le travail tout seuls.

Vous connaissez probablement le raisonnement suivant : les collaborateurs efficaces sont chers. Les collaborateurs efficaces ont besoin de diriger. Pour quelle raison ne le ferais-je pas seul ? Je vais devoir consacrer tout mon temps à les former, alors que je pourrais faire mieux qu'eux : plus vite, plus facilement et pour beaucoup moins cher. Il vaut mieux que je fasse tout moi-même.

Cette argumentation est tentante, mais elle conduit presque systématiquement à l'échec. De nos jours, très peu d'activités professionnelles ne tirent pas profit d'être accomplies par une équipe. La plus petite des entreprises a besoin d'êtres humains de chair et de sang qui fourniront des muscles, physiques et mentaux. Imaginez que vous nourrissez de menues ambitions : vous avez peut-être envie de diriger une boutique de viennoiseries que vous transformerez en une petite chaîne de trois ou quatre magasins dans votre ville. Vous pouvez louer un local, acheter un sac de farine et allumer votre four. Mais que se passera-t-il ? Vous vous contenterez de vous tuer à la tâche. Cela se produit tous les jours. Ne vous souciez pas de commander la farine : votre entreprise ne marchera pas si vous ne commandez pas aussi les ingrédients humains qui composeront votre équipe, à savoir les pâtissiers, les commis, une personne qui s'y connaît en marketing et un comptable. Ces emplois doivent être pourvus. Quelle que soit votre taille de départ, toute dose de réussite signifie que tous ces postes (probablement plus tôt que vous ne l'imaginez) finiront par être tenus par quelqu'un d'autre que vous. De plus, vous devez vous réserver le rôle le plus important : celui de *visionnaire d'une boutique de viennoiseries*.

L'adage selon lequel « le total représente davantage que la somme de ses parties » n'est jamais plus exact que lorsque nous nous frottons au monde, que nous le fassions dans le domaine des affaires ou lors d'une guerre véritable. Commencez donc par construire votre équipe. Sauf si vous effectuez un choix vraiment mauvais, le total sera toujours supérieur à la somme de ses composants. Votre projet sera mû par votre énergie, par l'énergie de vos collègues de travail et, surtout, par l'énergie créatrice dégagée par l'interaction des membres de l'équipe.

Vos critiques sont vos amis.

Le roi Dhana ne se rendit pas compte de ce détail lorsqu'il s'entoura de flagorneurs et qu'il rejeta l'homme le plus philosophe du royaume. L'une des tâches les plus importantes des membres de votre équipe consiste à n'être pas d'accord avec vous. Benjamin Franklin fait partie d'un grand nombre de sages qui ont souligné le fait que nos critiques sont nos amis : il s'agit de personnes qui nous fournissent les informations nécessaires pour nous améliorer. La nature humaine ne variant pas, cette leçon est l'une des plus difficiles à accepter. Même lorsque nous l'assimilons mentalement, nous avons du mal à l'intérioriser au point d'être capables de l'appliquer automatiquement. Et pourtant, son importance ne sera jamais assez soulignée : l'inspection et la critique de nos projets par une paire d'yeux, voire par deux, trois ou six paires, ne peuvent que leur être bénéfiques.

Les réunions de bureau nous font tous ricaner et nous les considérons comme un gaspillage de temps. En réalité pourtant, le fait de discuter des problèmes présente presque toujours un intérêt et débouche souvent sur des idées nouvelles et des peaufinages qui se révèlent essentiels au projet. Or, il faut être un bon dirigeant pour soumettre ses projets aux critiques de ses subalternes. Et un chef encore meilleur pour comprendre que les subordonnés qui formulent des critiques afin de s'assurer qu'il suit bien sa voie lui rendent en fait service.

À l'époque de Chanakya, bien avant l'invention de toute horloge mécanique, un groupe de personnes accomplissaient le travail de cet instrument : elles étaient connues sous le nom de mesureurs d'ombres. Leur tâche consistait à surveiller l'étirement des ombres et à faire tinter une cloche pour apprendre au souverain qu'une heure s'était écoulée. Il s'agissait d'inciter le roi à continuer à travailler et à ne jamais trop se laisser aller. Cet emploi était dangereux, surtout quand le roi avait mauvais caractère. « Les gens qui mesurent les ombres et font tinter les heures du jour pour prévenir leur chef qu'il s'est relâché devraient toujours être respectés », écrit Chanakya dans l'*Arthasastra*.

Consacrez le temps et l'effort nécessaires à constituer votre équipe. Il s'agit là de l'une des tâches les plus importantes d'un dirigeant.

Chanakya fit appel à des experts sur ce sujet et constata que ce dernier faisait l'objet de vifs débats. Après tout, il ne rassemblait pas seulement les membres d'une équipe mais un futur roi. Devez-vous choisir des personnes que vous connaissez ? Ou des inconnus avec un CV intéressant ? Voici comment le sage résuma les avis des experts de son époque :

— « Le dirigeant, déclare Bháradvája, devrait employer ses anciens camarades d'école comme ministres. Il peut leur faire confiance, car il connaît personnellement leur honnêteté et leurs capacités. »

— « Non, réplique Visáláksha, comme ils ont joué avec lui, ils ne le respecteront pas vraiment. Il devrait employer des individus avec qui il a partagé des secrets. Des gens partageant des choses intimes se retrouvent dans une position où ils ne peuvent pas se trahir les uns les autres. »

— « C'est peut-être juste, déclare Parásara. De crainte que ses secrets ne soient révélés, le chef peut les suivre, qu'ils aient ou non raison. Il sera sous leur contrôle. Il devrait au contraire employer des gens qui lui ont toujours été d'une dévotion absolue, y compris dans les épreuves les plus rudes. »

— « Non, dit Pisuna. Ils peuvent se montrer dévoués, mais ce n'est pas la même chose que s'ils étaient intelligents. Il devrait nommer des personnes douées pour les finances, qui ont prouvé qu'elles tiraient de bons bénéfices des investissements. »

— « Non, déclare Kaunapadanta, ces gens ne possèdent peut-être pas les autres qualités pour être des ministres de rang supérieur. Le dirigeant devrait attribuer des postes de premier plan à ceux dont les pères et les grands-pères ont déjà occupé ce genre de positions. Leur connaissance d'événements passés et la durée de leurs relations familiales, voilà des éléments essentiels. De telles relations survivront à des passages difficiles. Même dans les champs, vous voyez que les vaches savent à quel troupeau elles appartiennent. »

— « Non, affirme à son tour Vátavyádhi, de telles personnes peuvent obtenir une emprise absolue sur le souverain et usurper sa position. Il devrait engager des individus qui viennent tout juste d'acquérir leurs galons dans l'art de gouverner. Ils considéreront le chef comme tel et lui manifesteront du respect. »

— « Non, réplique le fils de Báhudantí, une femme sage. Un homme qui ne possède qu'une connaissance théorique et aucune expérience pratique du gouvernement risque de ne pas savoir s'y prendre quand il sera confronté à une situation concrète. Un souverain devrait choisir comme ministres de rang supérieur des personnes possédant la formation pertinente, douées de sagesse, d'objectifs sains, de courage et de sentiments loyaux. »

— « Cela est satisfaisant à tous les égards, déclare Chanakya, car les facultés d'un homme se dégagent des capacités qu'il démontre dans son travail. »

En d'autres termes, de nombreux facteurs sont à considérer lors de la sélection du personnel. Prenez soin de ne pas vous intéresser uniquement à un ou deux d'entre eux, alors que beaucoup, sinon tous, ont leur importance.

Pour prendre le contrôle d'un lieu, vous devez en étudier la disposition.

Lorsque j'utilise le terme «lieu», je pense à sa signification physique et métaphorique. Ce lieu peut être le quartier du centre-ville dans lequel vous voulez devenir propriétaire ou alors un espace intangible, comme le marché des fournitures médicales de votre ville, ou la «vraie propriété» dans le cyberespace qui est leader du marché de la vente d'avatars en trois dimensions.

La formation universitaire de Chanakya se révéla un facteur clé de sa nouvelle carrière de stratège militaire. Les bons lettrés étudient toujours toute la documentation dans le domaine de leurs recherches avant de créer quelque chose de nouveau. Ils savent que quand on veut ajouter de la valeur, on doit, avant d'introduire de nouveaux éléments, connaître ce qui existe. Cela paraît évident, alors que c'est loin de l'être pour un grand nombre de gens. Ils présentent des articles qui n'ont déjà pas marché, ils répètent l'histoire, ils démontrent qu'ils n'ont tiré aucune leçon du passé. Ils ont besoin de s'entendre dire qu'ils *doivent* procéder à cette étude, parce que le diable se cache toujours dans les détails.

Oui, nous savons que les bons dirigeants doivent posséder la faculté de voir l'ensemble du tableau, mais ils ont également besoin d'avoir sous les yeux tous les faits disponibles. Si vous dirigez une usine de fabrication de lecteurs de DVD, vous devez savoir comment fonctionne une usine. Une partie de vos responsabilités consiste à apprendre tous les détails concernant le domaine qui vous intéresse. Vous devez savoir quels sont les circuits imprimés et les autres composants nécessaires aux lecteurs de DVD, qui les fabrique, où vous les procurer à bas prix et comment finaliser votre lecteur de DVD à un coût de revient moindre que celui du compétiteur. Il n'existe pas de succédané pour connaître tout ce que vous devez connaître dans le domaine que vous visez, et de nos jours, on ne peut excuser aucun professionnel de ne pas se tenir au courant.

Les faiblesses de vos concurrents sont des cadeaux
du ciel pour votre équipe.

Le roi Dhana détenait tout le pouvoir. Il disposait de tous les soldats, de toutes les armes, de toute la terre. Il avait tous les jouets. Comment Chanakya pouvait-il espérer le défier sérieusement en quoi que ce soit ? L'opportunité lui fut fournie par les faiblesses du souverain : il n'avait pas un bon contact humain, si bien que la plupart des gens ne l'aimaient pas. C'était un homme brutal, un collecteur d'impôts beaucoup trop gourmand, de telle sorte qu'une énorme dose de ressentiment montait contre lui. Il avait des ennemis. Cette colère, cette haine et ce ressentiment étaient des outils puissants, invisibles, disséminés alentour dans l'attente que quelqu'un les utilise.

Des outils du même genre traînent autour de chaque industrie et de chaque secteur. Si votre journal local est mal dirigé et que son contenu ennuie tous ses lecteurs, vous pouvez vous servir de ce grief pour fonder un journal. Si la pâtisserie du coin met trop de sucre et de graisse dans ses gâteaux, lancez-en une qui proposera des produits réduits en calories, légers et vaporeux. Si son succès professionnel rend votre concurrent arrogant (comme cela risque d'être le cas), insistez sur la qualité de votre accueil.

Lorsque de gigantesques corporations alimentaires sans visage semblaient détenir le quasi-monopole du marché des desserts glacés aux États-Unis à la fin des années 1970, une nouvelle entreprise du nom de Ben and Jerry's se présenta sous un jour adorable, humain, et se tailla un succès météorique qui la transforma en icône. Cette entreprise, lancée en 1978 avec 12 000 $, a été vendue pour 326 millions en l'an 2000.

Voici un côté curieux des affaires : les gens ont tendance à chercher des failles dans un marché, alors qu'ils pourraient tirer bien plus de bénéfices dans des marchés où il n'y en a pas. S'il n'existe pas de restaurants dans la communauté X, vous pouvez en ouvrir un. Vous risquez cependant de découvrir que cette absence de restaurants provient d'une bonne raison : personne n'aime dîner dehors dans cette communauté. Prenons en revanche la communauté Y où est déjà installé un restaurant, très fréquenté mais très mal géré. En fondant votre restaurant dans la communauté Y, lequel sera mieux dirigé et servira de meilleurs repas, vous vous retrouverez à la tête d'un établissement dans un quartier où les gens aiment manger à l'extérieur et vous arriverez peut-être à chiper sa clientèle à votre concurrent.

Oui, vous commencerez par vous faire un ennemi, mais cette situation peut se révéler positive : la rivalité entre les deux restaurants fera remuer les choses. Les deux parties amélioreront naturellement leurs efforts de marketing, les clients feront eux-mêmes des comparaisons gustatives et l'imagination des chefs sera titillée et les rendra plus créatifs. Résultat : le marché dans son ensemble, au lieu de se scinder, s'élargira peut-être. Cette situation présente néanmoins des dangers : vous devez vous assurer que vous n'êtes pas considéré comme l'*outsider*, « l'étranger » venu d'ailleurs qui vole le marché à son propriétaire légitime. Ce qui nous amène au point suivant.

Équité = l'instrument le plus important que vous devez mettre de votre côté.

Les êtres humains sont doués d'émotions. Ils vont nouer un lien avec l'entreprise X et non avec l'entreprise Y, bien que cette dernière fournisse en fait de meilleurs produits. Une raison mystérieuse les pousse à aimer et à respecter davantage l'entreprise X qu'ils considèrent plus « équitable ». Ils ont une opinion très marquée sur ce qui est à leurs yeux satisfaisant, convenable et équitable, et inversement. Ils fonctionnent plus souvent au *feeling* qu'au raisonnement.

Chanakya savait qu'il n'avait personnellement aucune chance de fonder une nouvelle dynastie. Son seul espoir consistait à présenter son candidat comme *l'héritier légitime* du trône : le jeune homme du coin, Celui choisi par Dieu. Il insista beaucoup sur le fait que ce jeune homme était le fils d'une lignée de brahmanes, des gens d'une caste supérieure issus d'une dynastie de prêtres, alors que le roi Dhana descendait de la famille d'un coiffeur qui avait eu une liaison avec la reine. Il savait que la véritable bataille de la ville de Pataliputra consistait à conquérir le cœur des hommes et non à lutter contre l'armée.

Pour bien creuser votre créneau dans le marché, vous devez vous convaincre, et convaincre tout le monde, que vous y avez droit. Vous devez émettre un message subliminal d'une clarté absolue : « Je suis ici chez moi, c'est ma place, je suis des vôtres et mon entreprise fabrique des yaourts/brasse de la bière/fait des gadgets correctement, si bien que nous avons le droit d'être le principal producteur de yaourts/bière/gadgets de cette ville. » Peu importe que quelqu'un ait la mainmise sur le marché. Si vous croyez suffisamment à votre droit de l'obtenir et que vous parvenez à transmettre aux autres votre conviction, il finira par devenir vôtre.

Chanakya pensait que la population du Magadha méritait un meilleur souverain et il croyait que son protégé était l'homme adéquat, pour le lieu adéquat, à l'époque adéquate. Quand la confiance en soi devient contagieuse dans une communauté, on a une chance de gagner la plus rude des batailles.

Le vainqueur est le combattant manifestant la plus grande faculté d'adaptation.

Quand le combat débuta, les forces rebelles durent lutter contre des soldats mieux équipés, mieux nourris et qui connaissaient mieux les champs de bataille. Dans une bataille conventionnelle, face à face, les rebelles auraient perdu. Ils combattirent donc à la place sur plusieurs fronts à la fois, modifiant au fur et à mesure toutes les stratégies qui ne paraissaient pas fonctionner. Ils utilisèrent des soldats, ils utilisèrent des espions, ils utilisèrent des agents de désinformation et ils utilisèrent des traîtres parmi les forces ennemies.

En affaires, nous sommes pour la plupart des *challengers*. Dans chaque domaine, nous trouvons les joueurs de premier plan, les gens de la vieille école qui sont déjà bien établis : des individus qui ont débuté tôt ou qui ont effectué de lourds investissements pour devenir les leaders du marché. Mais le vieux slogan d'Avis est vraiment juste : «Nous sommes numéro deux, nous faisons de plus gros efforts. » Ceux qui vont défier le leader du marché feront preuve d'un plus grand esprit d'innovation. Ils y sont obligés. Le leader en place est bien campé sur sa position. Le terme «campé» est passé du monde de la guerre à celui des affaires : il indiquait qu'une armée était tellement bien installée dans la région qu'elle était enfoncée dans le sol et, par conséquent, presque impossible à déraciner.

Eh bien, les deux buissons d'épines de Chanakya – le vrai et le buisson royal – étaient tous les deux bien encastrés dans le terrain. Et ils ne pouvaient en être dégagés que par un trésor d'imagination. Plus loin, nous en apprendrons davantage sur l'usage de la faculté d'adaptation.

LE POUVOIR DE L'INFORMATION

Chanakya comprit que l'armée rebelle du jeune Chandragupta, composée de gens du coin mécontents, additionnés de tribus guerrières de la région, n'avait tout simplement pas la force physique de l'emporter sur les combattants du roi Dhana et de ses frères. La dynastie Nanda comptait de nombreux disciples puissants, dont la loyauté avait été achetée et payée par les impôts du peuple. Comme nous l'avons évoqué précédemment, Chanakya entreprit de retourner le peuple contre le roi

Dhana. Si vous ne disposez pas de la force militaire, vous utilisez vos propres avantages. Dans le cas de Chanakya, il s'agissait de la préparation, de la stratégie, de l'intelligence et de la créativité.

Un certain nombre d'histoires circulent à propos des stratégies utilisés par Chanakya pour détrôner le roi Dhana. Celle sur laquelle je vais m'attarder concerne sa méthode favorite de manipulation de l'information. Il lui arrivait de manquer de subtilité, de prôner la simulation d'accidents fatals, mais en d'autres occasions, il savait être aussi rusé que possible.

On raconte que le sage voulait disposer d'un contact à l'intérieur de la cour du roi Dhana. Il avait bien conscience du danger encouru quand on s'approchait de l'un des hommes du roi dans le but de le soudoyer ; on ne pouvait jamais savoir si on recevait des informations exactes ou si l'on se faisait duper. La sournoiserie fait partie de la nature humaine. Chanakya décida donc que le seul moyen d'obtenir des renseignements dignes de foi consistait à s'introduire à l'intérieur par ses propres moyens. À cette fin, il estima avoir besoin de deux choses : d'informations détaillées en provenance de quelqu'un capable de pénétrer les défenses du roi et d'un tiers qui saurait ne pas paraître partie prenante de la bataille et qui pourrait se servir de ces informations. Il recruta un individu dénommé Indusarman, qu'il chargea de rassembler des renseignements sur le roi, ses hommes et le palais. Cet homme s'entretint aussi avec Chandragupta et avec les membres plus âgés de la famille du jeune rebelle, dans le but de réunir des anecdotes concernant les anciennes familles et résidences royales.

Indusarman, déguisé en moine, mena à bien sa mission et rapporta des informations sur la vie et les amours de nombre des associés du roi, ainsi que des détails sur un énorme scandale, dramatique de surcroît.

À l'intérieur du palais était dissimulé le cadavre d'un brahmane. L'homme avait été tué lors d'une altercation, de nombreuses années auparavant. La famille royale, désireuse d'étouffer l'affaire, avait fait enterrer le corps sous le sol d'une pièce reculée – la septième pièce du couloir du fond. On avait tu cet épisode – presque « assimilable » à celui du cadavre dans le placard – à la plus jeune génération, dont faisait partie le roi actuel.

Indusarman fit donc part de ces anecdotes à Chanakya qui les transmit à son meilleur espion, un certain Jeevasiddhi, qui s'était donné beaucoup de mal pour ne jamais apparaître en public auprès de quelqu'un qui se serait rangé du côté de Chanakya. Lorsque l'espion disposa de toutes les informations, des rumeurs furent répandues dans la ville de Magadha, selon lesquelles un moine jaïn avait annoncé que la mission sacrée de détruire les rebelles, et plus particulièrement leur cerveau, Chanakya, lui avait été confiée. Selon une autre rumeur, Chanakya était décrit comme un sorcier détenteur de pouvoirs diaboliques de magie noire.

Quand ils prirent connaissance de ces rumeurs, le roi Dhana et son premier ministre convoquèrent le moine jaïn – eh oui, l'agent double Jeevasiddhi. Le premier ministre était un homme cruel du nom de Kathyayana, mais il servait loyalement le roi impopulaire et était connu partout, selon la légende, sous le surnom de Rakshasa – le Démon. L'espion fit de son mieux pour confirmer ces rumeurs, raconta au souverain qu'il disposait aussi de pouvoirs magiques et qu'il avait l'intention de les utiliser contre son ennemi Chanakya. Jeevasiddhi entreprit alors de démontrer ses facultés en débitant les renseignements qu'il avait appris par cœur sur les membres de la cour royale. Le roi Dhana fut abasourdi par sa précision. Selon l'histoire, il offrit mille pièces d'or à Jeevasiddhi pour le garder à ses côtés. Mais l'espion accepta de coopérer gratuitement, à la grande satisfaction du roi avaricieux.

Deux semaines plus tard, l'amitié entre l'espion et le clan Nanda s'était consolidée. Alors que Jeevasiddhi se trouvait à l'intérieur du palais, il s'immobilisa au passage devant la septième pièce du couloir, au fond du bâtiment, et tomba dans une fausse transe.

– La source de vos problèmes se trouve ici, dit-il. Un brahmane mort gît derrière ces murs et envoie des signes aux brahmanes vivants qui sont vos ennemis : Chanakya et Chandragupta Maurya.

Au début, le roi et ses suivants demeurèrent abasourdis. Or, ils avaient désormais tellement confiance en l'espion qu'ils acceptèrent de demander à des domestiques de creuser le sol de la pièce. Quand furent retrouvés les ossements du brahmane, le roi acquit la conviction que Jeevasiddhi possédait effectivement des pouvoirs surnaturels plus puissants que n'importe quel autre être humain et fit le vœu de suivre tous les conseils qu'il lui donnerait. C'était le signal qu'attendait l'espion pour lancer une série de pièges. Il incita le roi à mettre un terme à la coutume ancestrale consistant à nourrir les moines brahmanes publics de la ville. Les Nanda obéirent à contrecœur, craignant à juste titre de provoquer un immense ressentiment dans la population. Pour maintenir sa réputation d'homme doué de pouvoirs surnaturels, l'espion administra de légers poisons aux enfants du roi Dhana, afin d'être en mesure de les soigner et de les guérir. Cela lui procura la possibilité d'assister aux réunions de plus haut niveau. Lorsque le premier ministre démoniaque lança une manœuvre pour capturer et tuer Chandragupta, Jeevasiddhi, présent à la réunion, eut la possibilité de faire parvenir un message au chef rebelle pour lui permettre de se sauver.

En toute honnêteté, nombre de récits sur les espions rebelles ont un parfum trop fort de série télévisée pour être acceptés au pied de la lettre par les historiens rigoureux, mais ils illustrent le genre de raisonnement stratégique que Chanakya prône dans ses écrits. Si le sage ne mit pas vraiment en branle la campagne d'espionnage que je viens de décrire, il aurait sûrement utilisé des techniques identiques. L'*Arthasastra* ne recommande pas uniquement de faire appel à des espions déguisés en moines, mais il suggère de placer des espionnes dans le lit de vos rivaux.

Une fois transmis les flots d'information et de désinformation, eut lieu une série d'escarmouches. Pour éviter à notre livre de se transformer en histoire militaire, nous passerons rapidement sur les campagnes qui suivirent. Qu'il nous suffise de dire qu'en un laps de temps de six à sept années, Chandragupta Maurya se développa en chef très habile des forces rebelles. Lui et son sage engagèrent des individus puissants qui n'aimaient pas le roi Dhana. Le roi Poros II se joignit aux mutins, de même que son frère Vairochaka et son fils Malayaketu, accompagnés chacun d'une armée.

La guerre civile couvant dans la ville, Chanakya décréta qu'il était temps d'amorcer la confrontation finale à Pataliputra. Ce fut alors que la situation commença à se dénouer. Des revers importants se produisirent. Au début, la campagne des insurgés fut un échec. Lors des premières batailles, ils furent rapidement vaincus. Ils essayèrent à plusieurs reprises d'attaquer le centre de la ville où s'étaient terrés le roi et sa famille, mais les défenses étaient solides et se révélèrent chaque fois impénétrables.

Chanakya et Chandragupta comprirent qu'ils devaient revoir des éléments essentiels de leur plan. Ils avaient trébuché sur un truisme qui ne fut traduit en paroles que deux millénaires plus tard : aucun plan militaire ne survit à la première bataille. Ils réalisèrent qu'ils devaient sans cesse revenir au point de départ, rassembler les données, les analyser de nouveau et établir de nouvelles stratégies. Mais après les échecs cuisants de plusieurs escarmouches, les rebelles se retrouvèrent moralement touchés et vidés de leur énergie. Quel allait être leur nouveau plan ?

On raconte que durant cette période, Chandragupta, réfugié sous sa tente, désespérait de lancer une quatrième tentative, lorsqu'il entendit dehors une mère s'adresser à son enfant. Le petit garçon se plaignait d'avoir faim mais de ne pas pouvoir mordre dans la *roti* trop brûlante que sa mère venait de cuire.

— Si tu la replies et que tu mords dedans, elle sera trop chaude, disait-elle. Laisse-la ouverte et mords les bords, comme cela elle ne te brûlera pas.

L'enfant suivit son conseil. Sa mère disait vrai. Les bords de la galette étaient plus tièdes. Pendant qu'il les mangeait, son cœur tiédit aussi. Il en grignota le pourtour et finit par la manger en entier.

Eurêka! Pour une fois, ce fut Chandragupta qui alla sur-le-champ proposer un plan à Chanakya. Ils adoptèrent la stratégie consistant à éliminer de petites unités à la périphérie de la ville et n'eurent aucun mal à terrasser les gardes. La chose faite, ils s'aventurèrent à l'intérieur. Au départ, ce plan se retourna contre eux : au fur et à mesure qu'ils avançaient, les soldats qu'ils avaient vaincus se regroupèrent derrière eux et les attaquèrent. Mais les rebelles peaufinèrent leur stratégie et postèrent des soldats dans les lieux qu'ils avaient conquis pour empêcher les hommes du roi Dhana de reprendre le terrain perdu. Ils avaient désormais la possibilité de l'emporter.

RIEN NE DOIT VOUS ARRÊTER

> Un jeune homme utilise les principes de l'*Arthasastra* pour bâtir un des plus grands empires du monde, mais il veut davantage.

LA BATAILLE FINALE

La révolution était terminée. Le sage Chanakya entra à pas rapides dans la cuisine du palais, la fiole de poison cachée dans une poche de sa tunique. Il embrassa les lieux d'un regard preste pour vérifier que personne ne le surveillait, puis il s'approcha du repas de l'homme qu'il avait métamorphosé en roi : le Garçon Paon en personne, Chandragupta Maurya.

Quelques valets de cuisine allaient et venaient dans son dos, mais personne ne lui prêtait attention. Tous étaient détendus : ils avaient l'habitude de voir Chanakya « inspecter » le dîner du nouveau souverain avant que celui-ci ne fût servi à la table royale. Certains auraient pu s'étonner de voir un conseiller royal ajouter la coutume de vérifier les aliments à sa liste de tâches, mais les rapports entre Chandragupta et Chanakya n'avaient jamais été typiques d'une relation entre un roi et son ministre. Ils étaient passés par des étapes marquantes : maître et élève, soldat et stratège militaire, puis roi et conseiller principal. Le personnel pensait probablement que Chanakya éprouvait une forme de sentiment paternel pour son cadet.

Les serviteurs auraient été surpris par ce que le sage faisait : il inclina avec soin la fiole pour permettre à une goutte de poison – une seule goutte, mais suffisante pour tuer un être humain – de tomber dans le plat destiné à Chandragupta. Puis, il replaça le couvercle sur le plat et referma le flacon. Après avoir remis ce dernier en douce dans sa poche, il se hâta de sortir de la cuisine.

Mais nous allons trop vite. À la fin du chapitre précédent, nous avons laissé nos deux héros, le sage et le chef des dissidents, se tailler un chemin vers le palais du roi Dhana de la dynastie Nanda à la force des armes. L'armée rebelle s'était alors étoffée. Outre des soldats de souverains d'États voisins plus modestes, Chanakya avait ajouté ceux de ses connaissances à Taxila : nombre de ses anciens étudiants occupaient désormais des postes de pouvoir. L'ancien général de Taxila s'était joint à la rébellion. Lorsque l'ensemble des forces séditieuses fut réuni, Chanakya demanda à Chandragupta d'annoncer l'heure à laquelle la bataille serait livrée, dans une plaine située aux abords de la ville.

Le roi Dhana ordonna à un peloton de soldats de s'y rendre. Il ignorait toutefois que ses ennemis avaient introduit des espions parmi ses hommes et en avaient acheté le général. La pagaïe régnait dans son armée, si bien que son ordre de marcher vers le terrain de bataille et de massacrer les rebelles ne fut pas couronné de succès. La situation se détériorait pour le clan au pouvoir. En fait, Chanakya et Chandragupta s'étaient tellement bien introduits dans la société du Magadha que l'assaut final ne fut pas tant une attaque contre Pataliputra que le déclenchement d'une guerre civile à l'intérieur des murs de la ville. Le fils aîné du roi, héritier du trône, fut tué lors d'une escarmouche. Les derniers partisans loyaux de Dhana constatèrent avec inquiétude que la dynastie royale n'avait plus d'avenir. Le soutien populaire se tourna vers Chandragupta et Chanakya.

Au bout du compte, la prise d'assaut du palais et l'arrestation du roi se révélèrent inutiles. De toute évidence, la bataille était terminée. Le roi Dhana se rendit et fut envoyé en exil, disparaissant des pages de l'histoire. (Il semblerait qu'il fût autorisé à emporter autant de richesses qu'il le pouvait, un peu à la manière du gagnant d'un concours de supermarché de nos jours.) Selon la tradition, les autres membres de la famille royale furent exécutés, car Chanakya craignait que tout nouvel enfant né de leur sang ne fût placé en position d'« héritier légitime du trône ». En d'autres termes, il se refusait à voir les autres utiliser les mêmes tactiques que lui.

Les usurpateurs firent alors parvenir un message au premier ministre, Rakshasa : il était selon eux au service du peuple du Magadha, et non du roi déchu. Ils le priaient de rester à son poste. Rakshasa accepta, si bien que l'administration civile restée en place permit à Chandragupta Maurya d'être intronisé officiellement en qualité de nouveau souverain.

Le jeune chef rebelle fut donc couronné roi du Magadha au milieu de ce carnage. Sur-le-champ, il fit de Chanakya son principal conseiller.

– Nous avons réussi, déclara le jeune homme. C'est terminé.

Le sage secoua la tête.

– Non, non, pas encore, répliqua-t-il. Il me reste une chose à faire.

Il sortit un petit bandeau de sa poche, remonta ses longs cheveux dénoués et en fit un chignon bizarre au sommet de son crâne. Sur ce, il prit enfin place dans un fauteuil installé près du trône.

– Voilà, c'est chose faite, déclara-t-il.

Jusqu'à un certain point, Chanakya et Chandragupta avaient tranquillement échangé leurs places durant la campagne. Alors que le plus âgé des deux demeurait le maître, le mentor, l'image du père, la dynamique s'était renversée : la capacité féroce du cadet à mener une armée à la victoire avait fait de lui le chef indiscutable de l'empire. Mais ce nouvel ordre hiérarchique ne causa pas de problèmes entre les deux hommes : en fait, Chanakya l'avait prévu dès le début. Jamais il n'avait nourri l'ambition de prendre lui-même les rênes du pouvoir. Il savait pertinemment depuis toujours que la place qui lui revenait était celle de conseiller principal du roi. Entre les deux hommes, le lien s'était renforcé et non affaibli.

LES FLÈCHES NE VOLENT PAS À ANGLE DROIT

Le Garçon Paon aurait pu déposer ses armes et son bouclier lorsque la situation fut réglée à Pataliputra et vivre jusqu'à la fin de sa vie dans le luxe.

Tel ne fut pas le cas. Il avait passé plusieurs années à développer une immense soif de pouvoir que ne suffit pas à étancher la conquête de l'empire du Maghada. Il n'avait pas la moindre envie de se reposer sur ses lauriers. Sur-le-champ, il entreprit une campagne militaire en direction de l'est, afin d'étendre son empire vers celui d'Alexandre le Grand. L'analyse de sa vie prouve clairement qu'il était un homme trop opiniâtre pour être capable de baisser les armes. Nous pouvons le représenter comme un individu complètement voué à la guerre. Sans doute se serait-il justifié de la façon suivante : « Les dieux m'ont chargé d'accomplir cette tâche. Ils ont fait de moi Chandragupta, celui qu'on n'arrête pas. Je ne peux pas abaisser mon épée. »

Chanakya, professeur pendant de longues années, ayant étudié à la fois l'économie et la nature humaine, ne devait pas être le moins du monde étonné par les désirs expansionnistes de son protégé. Je le soupçonne même d'avoir estimé qu'ils étaient inévitables.

Lorsque vous avez participé à une ascension en ligne droite vers le succès, vous êtes comme une flèche lancée à la verticale vers le ciel, et cela signifie que vous devez poursuivre votre trajectoire naturelle. Vous ne pouvez pas vous arrêter en plein vol. Les flèches ne peuvent pas tourner à angle droit. Votre vélocité, votre dynamisme, votre direction, votre puissance constituent une force qu'il n'est pas aisé de supprimer. Si les dieux ont décrété que vous êtes l'Irrésistible, personne ne doit pouvoir vous arrêter. (De nos jours, le fait que des gens d'affaires d'un âge avancé comme Rupert Murdoch ne prennent pas leur retraite fait souvent l'objet de commentaires étonnés, mais eux aussi sont des flèches qui ne peuvent pas prendre subitement un virage.)

Le nouveau souverain, Chandragupta, se lança donc dans une campagne destinée à élargir les frontières de son empire, bien décidé à le rendre le plus vaste possible. Le plus grand empire que l'Inde avait jamais vu, voire le plus grand empire que le monde avait jamais vu. Il possédait apparemment un charisme qui incitait les gens à se rassembler sous ses ordres. Il s'empara de l'armée du roi Dhana et l'unit à la sienne. Les hommes des collines qui combattaient à ses côtés furent également contents de compter au nombre de ses acolytes – ou trop effrayés par lui pour décliner sa proposition.

Après la prise de l'empire du Magadha, il ne fallut que quelques années à l'armée de Chandragupta pour prendre des proportions gigantesques. D'après les registres, elle comptait un nombre stupéfiant de 600 000 soldats (soit plus de dix fois la taille de l'armée d'Alexandre le Grand, forte d'environ 40 000 hommes). Elle comprenait également 9000 éléphants de guerre.

Après la conquête de ce que nous connaissons aujourd'hui comme une grande partie de l'Inde du Nord, Chandragupta visa une proie plus importante : la région conquise par Alexandre le Grand, désormais connue comme pays des cinq fleuves ou Pundjab, qui s'écrit également Pendjab. (*Pun* signifie cinq, *ab* signifie eaux, ce qui donne donc pour Pundjab « pays des cinq fleuves »). Chandragupta commença par débarrasser sa capitale, Taxila, des soldats grecs – un objectif assez aisé, si l'on tient compte des contacts de Chanakya et de la connaissance qu'il avait des lieux. Le chef grec Séleucos (Alexandre étant décédé à l'époque) essaya de s'emparer de nouveau de la partie nord-ouest de l'Inde en 350 av. J.-C. Le souverain du Magadha le vainquit, mais décida par la suite que cet ennemi puissant avait intérêt à être traité en ami. Chandragupta unit donc leurs familles par son mariage avec la fille de Séleucos. En échange, il offrit au chef grec 500 éléphants de guerre.

Pataliputra, la capitale de l'empire du Magadha, fut reconstruite et transformée en vaste cité ceinte d'une muraille qui comportait 570 tours. L'envoyé grec, Mégasthènes, s'installa à la cour du roi Chandragupta pour relater les merveilles de ce royaume d'une puissance suprême : non plus un État dirigé par un roi, mais un immense empire gouverné par un véritable empereur. Mégasthènes était une espèce de correspondant à l'étranger, comparable aux écrivains voyageurs qui font aujourd'hui des reportages pour les magazines. Il envoyait chez lui des récits à propos des merveilles de l'Inde, telles que la laine qui poussait sur des arbres (les cotonniers) sans l'aide de moutons et un roseau magique qui produisait la plus délicieuse des boissons (aujourd'hui connu sous le nom de canne à sucre).

En fait, c'est le mélange de sources grecques, romaines et indiennes qui a permis aux historiens modernes de se faire une idée du règne de Chandragupta. Pendant des années, les érudits analysèrent les comptes rendus grecs, dont des fragments de récits de Mégasthènes qui racontent l'histoire d'un dirigeant du nom de Sandrakottos, mais ce ne fut qu'en 1793 qu'un brillant orientaliste, sir William Jones, établit le lien entre ce nom (épelé en une occasion « Sandrakoptos ») et les textes indiens parlant d'un certain Chandragupta.

Entre 321 et 297 av. J.-C., l'empire du Magadha devint sans le moindre doute l'assise de l'Inde antique. Mais tout ne tournait pas autour de la guerre. Cette période présente un intérêt d'une autre nature : deux croyances avaient jailli de la même partie de l'Inde et se développaient à un rythme régulier. L'une était constituée d'une tribu de moines itinérants connus comme les disciples de l'Éveillé (en sanskrit, le peuple du *Bouddha*) ; l'autre, par les disciples de Mahavira Nataputta qui avait fondé le mouvement jaïn, principalement axé sur un respect extrême de toute vie douée de sensations. Le Bouddha prêchait l'éveil. Les Jains se déplaçaient nus, par crainte d'emprisonner ou de tuer de minuscules insectes dans leurs vêtements, en balayant la chaussée devant eux à l'aide de brosses à longs manches. Ces deux religions étaient à l'époque relativement nouvelles, si bien que les plus âgés de leurs fidèles gardaient le souvenir de leur fondateur, décédé depuis peu. L'Inde vivait alors une époque effervescente et créatrice.

L'HOMME QUI POSSÉDAIT TOUT

Survint alors l'empoisonnement. Chanakya, le faiseur de roi, était très satisfait de lui-même. Son protégé était désormais maître d'un immense empire qui recouvrait presque la moitié supérieure de l'Inde ancienne.

Pour résumer simplement les choses, Chanakya, à l'aide de son cerveau, et Chandragupta, avec ses muscles, avaient fondé ensemble une force que rien ne pouvait arrêter. En tout cas, cette interprétation fait loi en Inde à propos de l'histoire de l'association de ces deux hommes. Elle n'empêche d'ailleurs pas le roi d'apparaître également comme un homme d'une intelligence suprême.

Le conseiller royal demeura néanmoins toujours aussi soupçonneux et astucieux. Supposant que d'autres ne manqueraient pas d'avoir recours aux mêmes ruses que lui, il imaginait voir des espions partout. Il faisait en sorte de disposer de plus d'informateurs que quiconque. Et il cherchait à imaginer comment des ennemis pouvaient s'infiltrer à l'intérieur du palais. Une idée embarrassante le tarabusta alors : s'il avait voulu assassiner Chandragupta, il se serait fait engager comme serviteur au palais et il aurait empoisonné la nourriture de l'empereur.

Anticipant le développement des vaccins, Chanakya se dit que l'ingestion de petites doses de certains poisons immuniserait probablement le corps contre ces substances. Il voulait rendre Chandragupta indestructible : pour ce faire, ce dernier devait, entre autres choses, résister aux effets d'un poison. L'histoire raconte donc que Chanakya ajoutait chaque jour une minuscule goutte de poison aux plats consommés par l'empereur. Les jours passant et Chandragupta ne semblant pas affecté par cette dose, Chanakya l'augmenta, jusqu'à mettre une goutte mortelle de poison dans le repas royal.

Ce soir-là, l'épouse de Chandragupta, Durdha, en fin de grossesse et affamée, pénétra dans la salle à manger pendant que son seigneur dînait.

– Quel arôme appétissant ! remarqua-t-elle.

– Tu dois manger pour deux, répondit Chandragupta, et il lui tendit le plat.

Durdha mourut dans la nuit.

Les récits les plus échevelés racontent que Chanakya s'empara d'un couteau, qu'il lui ouvrit habilement le ventre pour en sortir le nouveau-né indemne. Une goutte de poison était miraculeusement posée en équilibre sur le front de l'enfant qu'on appela Bindusara, *binda* signifiant goutte. De toute évidence, cette conclusion du drame n'est qu'un mythe héroïque inventé de toutes pièces, alors que la tentative d'immuniser l'empereur contre le poison peut avoir une base authentique. On sait d'ailleurs que Chandragupta eut bien un enfant du nom de Bindusara qui lui succéda à la tête du royaume.

Comme le pays jouissait à présent d'une paix relative, Chanakya en profita pour rassembler ses notes et publier un livre. Il s'agit de l'*Arthasastra*, l'un des plus grands traités sur l'économie, la politique et l'art de la guerre jamais écrits. Ou tout au moins, il en entreprit la rédaction. Les érudits pensent que la version dont nous disposons aujourd'hui peut-être datée des environs du IIe siècle de notre ère. Il s'agit probablement d'une synthèse des idées de Chanakya et de ses disciples, ou de sages qui s'intéressaient aux mêmes domaines que lui. Les extraits qui nous restent du grec Mégasthènes brossent le tableau d'un gouvernement dur et bureaucratique et suggèrent que certaines des idées professées par Chanakya dans l'*Arthasastra* furent mises en œuvre dès leur élaboration.

Le sage insiste sur l'importance de la formation des dirigeants et sur le fait que l'autodiscipline est la clé de tout. « Vous pouvez posséder tout ce que vous voulez aux quatre coins du monde, mais si vous ne vous maîtrisez pas, vous ne détenez rien et votre fin sera rapide », écrit-il. Il distingue deux formes de discipline : innée et acquise. Les deux sont nécessaires, l'instruction et la formation ne pouvant profiter qu'aux personnes qui ont déjà une certaine dose d'autodiscipline. Ceux désireux d'apprendre ont besoin de qualités spécifiques : le désir et la capacité d'acquérir des connaissances, la faculté de se rappeler les choses qu'on leur enseigne, celle de comprendre ce qu'ils ont entendu, de réfléchir aux éléments dont ils disposent et d'en tirer des conclusions.

Chandragupta était certainement un élève brillant. Il accomplit des choses stupéfiantes en qualité d'Empereur Paon. Son empire n'englobait pas uniquement le nord de l'Inde (dont l'Himalaya constitue la frontière naturelle), mais aussi la globalité de ce qui est aujourd'hui le Pakistan, ainsi que des parties conséquentes de l'Iran et de l'Afghanistan. Il avait conquis le nord-est de l'Inde, dont l'Assam actuel. Certains érudits pensent qu'une inscription découverte aujourd'hui dans l'Orissa indique que cette partie orientale de l'Inde faisait aussi partie de cet empire. L'Inde, pour la première fois, s'étendait des rives d'une grande mer à celles d'une autre : de la baie du Bengale à la mer d'Arabie. Personne ne sait exactement jusqu'où elle allait au sud, même si nous noterons avec intérêt que Chandragupta y passa la fin de sa vie, à Karnataka.

Néanmoins, le combattant que rien ne pouvait arrêter n'était pas heureux. Il possédait tout ce qu'un homme de sa génération aurait pu désirer : un des plus vastes empires du monde, une fortune inestimable, des épouses et des enfants ainsi que le respect de son peuple.

Mais il avait besoin d'autre chose. Et lorsqu'il annonça de quoi il s'agissait, son peuple en resta interdit.

LE PREMIER TRAITÉ DE GESTION DU MONDE

En 1904, un pandit (terme désignant un homme instruit, parfois épelé *pundit*) pénétra dans une bibliothèque de Mysore. Il y déposa une pile de pages de feuilles de palmier et s'en alla, sans laisser son nom ni aucune autre information. Tout en se rendant compte qu'il s'agissait d'un vieil ouvrage, le bibliothécaire était loin de se douter de son ancienneté.

C'était l'unique exemplaire de l'*Arthasastra*, le livre de sagesse de Chanakya. Les historiens en connaissaient l'existence et le titre parce qu'il avait été cité par d'autres auteurs, mais ils n'en avaient jamais vu de copie. Même si l'on pense que cette édition remise au bibliothécaire datait du IIe siècle ap. J.-C., il est indubitable qu'une partie au moins remonte à l'époque de l'auteur auquel il est attribué : le sage, Chanakya, écrivant sous son nom officiel de Kautilya.

Un *sastra* est un traité scientifique ou un manuel. Et comme *artha* est un terme sanskrit que nous rencontrerons souvent au fil des pages de cet ouvrage, nous allons étudier de près sa signification. On le traduit souvent par *richesse*, alors que le mot indien ne présente pas les connotations, négative et positive, de son équivalent anglais. Par exemple, un maître spirituel s'exprimant en anglais ne proclamerait probablement pas à quel point il est important d'être littéralement couvert d'or. Mais en Inde, qu'un personnage de cette stature affirme que l'*artha* est un facteur important de la vie quotidienne de chacun ne serait pas mal vu. Dans ce sens, on peut assimiler l'*artha* aux « possessions matérielles ». Hormis les ascètes purs et durs, nous possédons tous quelque chose, et il n'y a rien de mal à le reconnaître. On peut également utiliser *artha* dans le sens de « richesses », mais dans une acception beaucoup plus large que le mot anglais. L'*artha* concerne l'ensemble du système de possessions matérielles à l'intérieur d'une société : il est donc parfois traduit par « économie ». Il veut également dire « signification ».

Le titre *Arthasastra* a été traduit par *La Science de l'économie*, *Le Manuel de l'administration politique*, et ainsi de suite. Le livre se concentre pourtant sur tous les domaines entourant l'art de gouverner et incorpore l'économie, de même que d'autres aspects de la structure civique, tels que la politique. À partir de ces domaines, il couvre le champ entier du cadre légal et bureaucratique permettant de gouverner correctement, tout en fournissant des idées et des renseignements généraux concernant des sujets aussi différents que l'agronomie et l'exploitation des mines. « La Science du gouvernement » serait une traduction plus juste.

Certains spécialistes affirment que l'étude des textes indique qu'ils n'émanent pas d'un seul auteur. Le style – le livre est essentiellement constitué d'une liste de brefs aphorismes – ne paraît en tout cas pas jailli de la plume d'un universitaire. Il ressemble plus à une compilation de pensées d'un ou de plusieurs sages. Cela devient plus clair dans les versions postérieures. Mais vu l'ancienneté du document, il est tout à fait possible que plusieurs personnes aient mis la main à la pâte. De plus, nous pouvons dépasser cette question et estimer qu'il s'agit d'un ouvrage dû à Chanakya et à toute « l'école » de Chanakya, à savoir ses adeptes, disciples et fervents.

Toutefois, pour quiconque le lit, la personnalité de l'auteur transparaît dans maints passages : nous sommes en présence d'un homme à l'intelligence aiguë qui vacille entre proclamer la nécessité de se conduire honorablement à l'égard des pauvres et recommander des moyens déloyaux de vaincre les ennemis. Nous retrouvons donc une grande partie de ce que nous connaissons de Vishnugupta Chanakya.

Le sage signa ce livre de son pseudonyme, Kautilya, probablement pour des raisons religieuses. Il s'agirait de son nom *gotra*, à savoir celui indiquant le clan patriarcal auquel il appartenait. L'ouvrage fut donc publié comme étant l'*Arthasastra* de Kautilya. Bien que bureaucratique et pinailleur à de nombreux égards, il contient une grande sagesse qui a dû paraître rafraîchissante aux yeux de ceux ayant souffert sous le règne du roi Dhana. Les idées différentes de Chanakya à propos de la gouvernance furent sans doute accueillies favorablement. Ayant collaboré avec un piètre dirigeant, le sage avait reçu une série de leçons pratiques sur LA MANIÈRE DE NE PAS GOUVERNER. À l'inverse, le nouveau conseiller royal voulait s'assurer que le souverain qu'il avait mis sur le trône remporterait un succès brillant. Il brossa donc un portrait du dirigeant idéal :

Un dirigeant trouve le bonheur dans le bonheur du peuple qu'il gouverne.
Et il trouve le bien-être dans celui de son peuple.
Les choses qui le ravissent, il ne les estimera pas nécessairement bonnes ;
alors qu'il considérera que celles qui plaisent à ses sujets lui sont profitables.

Pour l'époque, il s'agit d'une théorie extraordinaire. Les rois étaient des rois et les serviteurs, des serviteurs ; l'idée d'un roi au service des autres ne venait pas spontanément à l'esprit (même si d'autres penseurs la professaient bel et bien : jetez par exemple un coup d'œil au *Livre d'Isaïe.*) Bien qu'il vécût à une époque où le roi et sa famille détenaient le pouvoir absolu, Chanakya pensait également qu'ils avaient des devoirs dictés par le concept du *dharma.* Souvent traduit par « vertu », le mot *dharma* implique la droiture transformée en action : le devoir de la personne vertueuse, si vous voulez. La liste qu'il dressa des devoirs du roi comprend donc un grand nombre d'éléments liés au bien-être. Durant les famines, il était selon lui du devoir du souverain de redistribuer les richesses. Les communautés étaient soudées par une morale collective.

Cette ligne de pensée se reflète avec précision dans la manière dont les bons chefs devraient diriger de nos jours les sociétés, commerciale ou autre. Le chef doit se transformer en serviteur. Alors que de nombreuses entreprises sont fortement identifiées à un individu ou à un autre (pensez à Richard Branson pour le groupe Virgin ou à Bill Gates pour Microsoft), arrive un moment où les chefs doivent soigner leur personnel et faire passer ses besoins avant tout le reste. Lorsque Richard Branson lança Virgin Records, cette minuscule entreprise (une boutique de disques londonienne) fut tout bénéfice pour lui. Quand elle commença à se transformer en groupe d'individus, la situation se retourna. Branson se retrouva subitement à la tête d'une somme énorme de responsabilités : des centaines, puis des milliers de personnes lui devaient leur gagne-pain. Il le reconnaît régulièrement et il s'agit là d'un des aspects de sa personnalité qui en fait l'un des hommes d'affaires actuels les plus populaires. Les entreprises se transforment en créatures à têtes multiples, en hydres, si vous voulez, et elles ont besoin d'une direction qui admet cette réalité.

Il s'agit d'une étape cruciale, d'un changement d'attitude que vous ne trouverez cependant mentionné dans aucun traité sur les affaires. Il n'existe pas de règlement disant : *quand vous avez 5, 25, 500 employés, vous devenez le serviteur tout autant que le meneur.* C'est pourtant dans la manière dont ils traitent ce changement intangible que les dirigeants s'acquièrent le respect ou le perdent. Pensez à l'organisation dont vous faites partie. Compartimentez-vous votre emploi ? Vous contentez-vous d'arriver, d'accomplir la tâche qui vous échoit et de repartir ? Agissez-vous plutôt en tant que membre d'une équipe ? Vous rendez-vous compte, sur le plan émotionnel et mental, que vous êtes responsable vis-à-vis de tous les autres membres de cette organisation ? De vos inférieurs comme de vos *alter ego* ?

Chanakya savait que les communautés entretiennent des liens indélébiles, qu'elles ressemblent à une entité unique. Son ouvrage nous dit de considérer le groupe comme une personne : l'oreille et le doigt d'un homme sont situés dans différentes parties de son corps, mais si vous vous blessez à l'un ou à l'autre, vous ressentez la douleur partout.

Aujourd'hui, les dirigeants d'entreprises disposent d'utiles petites choses appelées « service des ressources humaines » pour s'occuper de leur personnel. Pourquoi s'inquiéter quand vous pouvez payer quelqu'un pour le faire à votre place ? Chanakya savait pour sa part que les relations entre un dirigeant et son peuple doivent être d'un ordre plus profond. *Il considérera que tout ce qui plaît à ses sujets lui est profitable.* Le vrai dirigeant ne se laissera pas griser par la quantité de ses actions personnelles, mais par la quantité d'options sur actions qu'il pourra ou non procurer à son personnel.

La source de la richesse est l'activité, écrit-il. *Le manque d'activité débouche sur la misère matérielle. En l'absence d'activité, la prospérité actuelle disparaît et il n'y a pas de croissance.*

Chanakya identifia très tôt les caractéristiques principales du capitalisme et il remarqua de quelle manière le libre commerce concentré générait de la richesse pour une communauté. Des années avant la rédaction des ouvrages classiques des grands économistes, il fit remarquer qu'on pouvait prévoir la bonne fortune d'un lieu en fonction de la présence de niveaux élevés et concentrés de commerce et de l'escalade ou de la chute des activités de négoce.

Le mouvement des marchandises, des services, des idées et des loisirs : là réside le succès. Il ne sert à rien de fabriquer un meilleur piège à souris, de composer la symphonie parfaite ou de concevoir le fauteuil idéal si l'objet que l'on a créé ne circule pas. « La source de la richesse est l'activité. » Le mouvement est la clé de la réussite en affaires. La richesse n'est créée que lorsque les marchandises passent d'une paire de mains à une autre.

Alors que ce principe lui apparaissait évident il y a tellement longtemps, il est stupéfiant de voir à quel point nous faisons encore fausse route aujourd'hui. Nous consacrons 90 % de notre énergie à fabriquer et à raffiner l'objet censé faire notre fortune. Cependant, à moins qu'un marché ne se présente pour lui et qu'un canal de distribution de première classe le mette dans ce marché, nous perdons notre temps. Nous ferions mieux de consacrer 80 % de notre temps à améliorer une méthode de distribution et 20 % au produit que nous commercialiserons plutôt que le contraire.

L'un des domaines dans lesquels les gens commettent le plus souvent cette erreur est l'industrie de l'édition. Les futurs auteurs rassemblent des idées pour un projet de livre. Puis, ils prennent un ou deux ans afin de déverser des tonnes de mots sur le papier. La triste vérité, c'est que le problème ne concerne pas le sujet sur lequel ils souhaitent écrire. Le marché demande un élément concret : un livre imprimé, distribué et vendu. Ces deux facteurs doivent coïncider, sinon l'ouvrage ne sera jamais publié et ne connaîtra pas le succès.

Le même truisme s'applique à d'autres industries. Quiconque crée quelque chose, qu'il s'agisse d'un produit, d'un service ou de quoi que ce soit d'autre, doit se décarcasser comme producteur et se mettre à la place de l'acheteur potentiel. Là réside l'unique chance de réussite de son affaire. Cessez donc de penser à la qualité du produit ou du service que vous proposez et penchez-vous à la place sur ses canaux de distribution et sur son marketing. C'est l'activité qui génère du liquide.

Si des affrontements surgissent au sommet d'une organisation,
tout le monde ne peut qu'en souffrir.

Chanakya écrit que les querelles ont des conséquences très nocives, même s'il ne peut s'empêcher, vu sa fourberie, d'ajouter que le dirigeant d'une organisation arrive parfois à tirer profit des rivalités entre ses inférieurs; en effet, les lieutenants qui se chamaillent s'épient les uns les autres au lieu de porter un regard avide vers le siège du général. Mais il lance aussi un avertissement: les luttes internes au sommet sont très néfastes. Si l'animosité règne en haut de la pyramide – entre le souverain, son premier ministre et ses hauts fonctionnaires (nous pouvons les considérer comme les PDG, directeurs et membres du conseil d'administration actuels) –, le gouvernement dans son ensemble risque d'en pâtir gravement.

Mais qu'advient-il s'il y a des bisbilles dans la société de votre concurrent? Le moment est idéal pour en tirer profit. Une petite dissension au conseil d'administration d'une entreprise peut offrir une occasion en or à un entrepreneur de prendre pied et de marquer son territoire. Les batailles de conseil d'administration signifient que les limites se sont distendues, si bien qu'un joueur intelligent peut tirer son épingle du jeu. Une simple querelle, lors d'une réunion du conseil d'administration, peut scinder une entreprise en deux. Proposez à l'un des associés mécontents de l'engager: vous en tirerez des connaissances peut-être inestimables sur le fonctionnement de son entreprise. Mais attention, vous marchez sur des œufs. Cet associé peut avoir été renvoyé parce qu'il était incompétent ou gênant. Renseignez-vous d'abord avant de lui faire signer un contrat.

L'*Arthasastra* offre de nombreuses bribes de sagesse sur le leadership. L'un de ses thèmes essentiels est que pour être un bon patron, il faut avant tout être maître de soi. Réfrénez vos appétits charnels, écrit Chanakya. Le désir doit être évité, « même dans vos rêves ». Il n'est pas partisan d'un monde permissif, dans lequel les titillements inutiles sont considérés comme une partie acceptable de la vie. Il affirme que les vices proviennent de l'ignorance et du manque de discipline. Une personne sans éducation ne se rend pas compte que ses vices exercent sur elle des effets négatifs.

Le principe moderne, souvent cité, selon lequel « une personne devrait être autorisée à faire tout ce qui lui plaît dans la mesure où elle ne fait pas de tort à son prochain » aurait été considéré comme de la folie dans l'Inde ancienne. Chaque être humain est partie intégrante de la société. En vous nuisant à vous-même, vous nuisez à la société. Aujourd'hui, nous nous comportons comme si les êtres humains vivaient chacun sur leur petite île. Autrefois, ils connaissaient la vérité. Les humains ne cessaient d'entretenir des relations. La société humaine ressemblait davantage à une danse complexe, à l'équilibre délicat. Si une personne ne parvenait pas à se maîtriser et dérapait, elle gâchait la danse des autres.

Tout comme Vatsyayana qui écrivit le *Kama Sutra*, Chanakya divisait la vie en trois domaines : *artha*, *dharma* et *kama* – action vertueuse, possessions matérielles et plaisirs sensuels. « Ces trois catégories sont interdépendantes, écrit-il. La jouissance excessive de n'importe laquelle fait du tort, non seulement aux deux autres, mais aussi à elle-même. »

Il n'est pas question de vous nuire à vous-même. Vous êtes trop important. Vous n'avez pas la liberté de le faire. Ce principe s'applique particulièrement aux supérieurs – directeurs et PDG. Les dirigeants sont des modèles pour leurs inférieurs. « Si le dirigeant a de l'énergie, ses subalternes en auront », écrit-il. « S'il accomplit ses devoirs mollement, ils seront à son image et ils dépenseront sa fortune. »

L'*Arthasastra* de Chanakya comprend un plan détaillé sur la manière d'être un patron idéal. Pour dirigeant, il utilise le terme *rajarishi* (bon gouvernant). Ces conseils sont utiles aux chefs d'entreprises modernes. Selon Chanakya, un bon dirigeant :

1. Est maître de soi et, plus particulièrement, de ses désirs charnels.

2. Cultive son intellect en s'associant à des personnes plus âgées et plus avisées que lui.

3. Garde les yeux ouverts dans toutes les directions grâce à des espions.

4. S'active toujours à promouvoir la sécurité et le bien-être de ses subordonnés.

5. S'assure que ses subordonnés appliquent le *dharma* (action vertueuse) en leur montrant l'exemple.

6. Améliore sa propre discipline en ne cessant d'étudier toutes les branches de la connaissance.

7. Se fait aimer de ses subordonnés en les enrichissant et en leur faisant du bien.

8. Se tient éloigné des épouses des autres.

9. Ne convoite pas les biens des autres.

10. Pratique l'*ahimsa* (la non-violence envers toutes les choses vivantes).

11. Évite les rêves éveillés, les caprices, la fausseté et l'extravagance.

12. Évite de s'associer à des personnes nuisibles et de s'adonner à des activités nuisibles.

Cette liste de règles utiles chevauche parfois les dix commandements de Moïse. Nous allons regarder de plus près certaines d'entre elles.

Admettez que votre *self-control* est votre bien le plus précieux, et en particulier votre faculté de résister aux tentations charnelles.

De nos jours, il apparaît ridiculement vieillot de parler de maîtrise de soi, de discipline et de résistance aux tentations charnelles. Mais pourquoi ? La vie est courte. Vous pouvez bien évidemment perdre une journée à surfer sur le Web à votre bureau, à envoyer des blagues idiotes par courriel ou à glander à l'occasion. Mais vous devez le faire en sachant pertinemment que cette journée, une fois passée, sera passée : vous ne la récupérerez jamais. Si vous êtes capable de laisser ainsi s'envoler une journée cette semaine, vous aurez d'autant plus de mal à vous empêcher d'en gâcher une la semaine prochaine. Quand ce comportement se transforme en habitude, nous nous retrouvons sur une longue pente descendante. De nos jours, la discipline est un terme très mal vu. Pourtant, pour Chanakya, elle constituait la base même de la personnalité d'un dirigeant avisé.

Je connaissais un journaliste d'un certain âge qui s'offrait deux ou trois chopes de bière à l'heure du lunch, en dépit du fait que ses collègues lui disaient qu'il ne fallait pas boire pendant les heures de travail. Il en prit vite l'habitude. Un péché véniel, mais qui lui permettait, à l'entendre, de garder sa bonne humeur. Un après-midi, il fut arrêté par la police sur le chemin d'un reportage. Il dut se soumettre à l'alcootest, qui se révéla positif, et il perdit son permis de conduire. Comme il couvrait une vaste région rurale, il se retrouva dans l'incapacité de travailler. Une petite perte de maîtrise de soi lui coûta son gagne-pain.

Je n'entends pas par là que nous ne devrions pas prendre à l'occasion le temps de humer l'arôme du café ni d'avaler un verre d'alcool. Évidemment, nous devrions avoir des journées équilibrées, avec des pauses saines et des moments de relaxation. Mais une fois que nous nous abandonnons à l'indolence et au laisser-aller, ces derniers ont tendance à se développer dans tous les sens du terme et viennent inévitablement contredire nos objectifs à long terme. Cette constatation ne s'applique pas qu'aux tentations du corps : tout ce qui vous détourne de votre but n'est pas bon.

Un autre exemple. Je connaissais une jeune représentante qui était une vraie pointure. Elle prit l'habitude de faire du lèche-vitrine entre ses rendez-vous. Puis, elle organisa son horaire de manière à disposer d'une heure de liberté entre chaque rencontre, dans les quartiers connus pour leurs boutiques. Elle se mit à retourner au bureau après ses rendez-vous, chargée d'emplettes. Le centre, le point de focalisation de sa journée de travail avait changé. Il ne fallut pas longtemps pour que ses jours travaillés et ses week-ends deviennent pratiquement identiques. Elle faisait des courses toute la semaine. Elle devint dépensière, l'inverse même d'une vendeuse. Elle perdit la flamme qui en avait fait une représentante hors pair, perdit sa motivation et devint distraite. Elle cessa subitement d'atteindre ses objectifs de vente et fut obligée de se rabattre sur un autre emploi. Elle avait été dépouillée de sa discipline personnelle.

Entourez-vous de personnes plus âgées. Les gens expérimentés représentent un atout intellectuel d'une valeur inestimable.

Ce précepte de Chanakya est également largement méconnu de nos jours. Lorsqu'une entreprise est « dégraissée », les employés les plus âgés sont les premiers débarqués. Les directeurs des ressources humaines considèrent qu'ils leur reviennent plus cher que les jeunes, en particulier sur le plan de l'assurance maladie. Vient ensuite le problème de l'image. Les gens aiment bien que leur entreprise paraisse très tendance, ce qui implique de placer des jeunes à tous les postes. Des présidents-directeurs généraux m'ont fait faire le tour de leurs bureaux en se vantant de l'âge moyen très bas de leurs employés. C'est de la folie. On peut certainement se vanter de la jeunesse des membres de l'équipage d'un avion, mais clamer qu'on est ravi du manque d'expérience et de sagesse de son personnel n'est que pure stupidité.

Chanakya savait qu'un grand nombre d'employés plus âgés augmentait énormément les connaissances de base et abaissait les risques de déraillement de l'entreprise. Il trouvait vital de disposer d'employés âgés et expérimentés dans les bureaux d'un dirigeant. Cela me fait penser à un incident précis : la casse de la machine typographique d'un journal. Elle survint à l'aube. Le journal devait être imprimé et distribué. Que faire ? Pendant que les jeunes employés parcouraient la partie du manuel de fonctionnement concernant les pannes, un confrère plus âgé se rappela que le même incident s'était produit quinze ans plus tôt, mais surtout, il se souvint de la manière de réparer la machine. Il leur conseilla de tirer sur un levier, de presser sur un bouton, de soulever un panneau. La machine se remit en marche. La solution n'était pas dans le manuel. Après plus de quinze ans passés à se servir de cette machine, cet homme la connaissait mieux que ceux qui l'avaient construite et qui avaient rédigé sa notice d'utilisation.

Y a-t-il des employés d'âge mûr dans votre entreprise ? Y a-t-il quelqu'un de plus âgé que vous ? De nombreux directeurs n'aiment pas avoir de personnes plus âgées près d'eux pour d'autres raisons, car cela bouleverse « l'ordre naturel » des choses, de façon subliminale : des gens possèdent l'ancienneté, sans occuper les échelons supérieurs de l'entreprise. Quelque chose cloche, si bien que les relations personnelles sont bancales. Les gens plus âgés ont néanmoins une telle valeur que cet obstacle doit absolument être franchi. Ce n'est pas parce qu'ils sont plus âgés que vous qu'ils visent votre poste. Chanakya connaissait sa place : il était le vieux hibou avisé qui prodiguait ses conseils à l'empereur. Ce dernier était le guerrier qui utilisait son épée pour changer le monde. Ils ne pouvaient pas échanger leur place et ils n'en avaient d'ailleurs pas la moindre envie.

Que se passe-t-il quand personne, dans votre bureau, ne possède une grande expérience ? Il vous faut recourir à une aide extérieure, ce qui nous amène à notre point suivant.

Gardez les yeux ouverts et assurez-vous que vous disposez de nombreux informateurs qui épient littéralement pour vous.

Aujourd'hui, les sources de renseignements sont une clé de la réussite en affaires. Et je n'entends pas par là la simple lecture du journal spécialisé ou du site Web consacré à votre secteur d'activité. Ces sources ne constituent qu'un commencement. Assurez-vous que vous connaissez personnellement un grand nombre de personnes dans votre domaine. Si vous travaillez dans celui de la télévision, consultez régulièrement l'autorité de diffusion qui réglemente la radiodiffusion et les télécommunications, les membres du syndicat des employés de la télévision, et même ceux qui travaillent dans les médias numériques des universités. Tous ces contacts sont susceptibles de jouer un rôle crucial dans votre succès.

À présent qu'Internet relie l'ordinateur de tout un chacun, que des écrans de télé jaillissent partout comme des champignons, que les jeunes utilisent des sites Web pour se créer d'importants clubs de fans, les tendances évoluent plus vite que jamais. Si vous ignorez ce qui se passe dans votre industrie, vous serez largué. Constituez un réseau de personnes que vous pourrez joindre régulièrement. Collez leur numéro de téléphone sur votre ordinateur pour ne pas oublier de les inviter à déjeuner fréquemment. Envoyez-leur de temps en temps un courriel pour entretenir votre relation. Organisez une fois par mois un déjeuner rassemblant les gens du métier. Créez votre propre lettre professionnelle. Placez-vous de telle sorte que rien de significatif ne puisse se produire à votre insu dans votre domaine. Que vous le sachiez même le premier.

Chanakya croyait en ce que nous appellerions aujourd'hui « l'espionnage industriel ». Il croyait également aux coups bas. En affaires, nous devons de nos jours nous en tenir à des normes plus élevées, mais le principe selon lequel celui qui dispose de la bonne information est susceptible d'être le vainqueur tient toujours.

Un bon dirigeant s'assure que son peuple observe le *dharma* (ou agit vertueusement) en lui donnant l'exemple.

Je désire souligner ce point, tant il est rarement mis en pratique de nos jours. Partout autour de nous, nous voyons des dirigeants s'abaisser aussi bas que la loi l'autorise. Les entreprises engagent des avocats, non pas pour les aider à respecter la loi, mais pour y déceler des lacunes qui leur permettront de franchir les limites. Les chefs d'entreprise s'estiment intelligents s'ils parviennent à prendre de vitesse leurs rivaux en faisant quelque chose qui n'est pas encore prohibé. Cela ne les empêche pourtant pas de ne pas comprendre pourquoi leurs employés chipent des fournitures de bureau, sabotent leurs projets ou acceptent d'être braconnés par des rivaux.

Ces patrons n'établissent pas le lien entre le manque d'éthique de leur comportement et le coût sans cesse plus élevé qu'entraînent la mauvaise conduite de leurs employés et la quantité de marchandises qualifiées « d'endommagées ». Ils ne réalisent pas que plus ils essaient de mettre d'escroqueries en œuvre dans leur salle de conférences afin de s'enrichir, plus les employés rusent de leur côté dans le même but. Pour quelle raison ne le feraient-ils pas ? Si le patron roule pour lui, son personnel le fera aussi. Nous nous pencherons de plus près sur la morale professionnelle plus loin.

Continuez à vous cultiver dans tous
vos domaines de connaissance.

Deux mille ans avant que l'expression « apprentissage permanent » ne se transforme en tendance à encourager les adultes à reprendre leurs études, Chanakya incitait les futurs dirigeants à ne jamais cesser d'étudier. Il ne s'agit pas uniquement de maîtriser des faits, mais d'adopter une attitude ouverte qui permet de recevoir des autres, de partager les découvertes de tiers et de se transformer en canal équipé d'une valve bidirectionnelle. En outre, vous tirez deux bénéfices importants du fait de garder du temps pour vous cultiver : d'une part, vous exercez vos neurones de telle sorte que votre créativité en est accrue ; de l'autre, vous passez par un processus de développement identique à celui de votre entreprise. Si vos capacités s'améliorent, il en ira de même avec ses résultats et ceux de vos employés.

Faites en sorte d'acquérir la sympathie de vos employés en les enrichissant, au lieu de vous contenter de vous enrichir personnellement.

Quelqu'un vous apprend que votre personnel touche un salaire 2 % plus élevé que celui d'autres employés dans la même industrie. Comment réagissez-vous?

Malheureusement, nombre de dirigeants du monde des affaires mettraient le directeur des ressources humaines sur la sellette et le réprimanderaient : « Comment avez-vous fait pour que notre société en arrive là? Nous devons être compétitifs sur tous les tableaux. Notre devoir envers nos actionnaires consiste à payer au taux du marché, et pas un sou de plus. Quand pourrons-nous geler les salaires ou, mieux encore, les réduire? »

Cette réaction est la plus courante, mais ce n'est pas la bonne. La bonne consiste à étudier les chiffres des bénéfices de l'entreprise, des remboursements des dividendes et du taux de croissance. Si l'entreprise perd de l'argent, vous aurez peut-être à examiner les feuilles de paie, mais si elle en fait et qu'elle se développe bien, il se produit en fait ceci : l'entreprise grandit et le personnel participe de sa croissance. Vous ne vous contentez pas de vous enrichir, vous enrichissez toute la famille. Vous faites la bonne chose.

LES LEÇONS D'UN DIRIGEANT

Le signe clé de la réussite ne réside pas dans la qualité d'un produit ni dans le service, mais dans la rapidité de la croissance.

Ceux qui travaillent dans un domaine créatif ou innovateur passent souvent une grande partie de leur vie en état de frustration. Ils ont écrit un scénario ou conçu un logiciel et ils se battent pour y intéresser les décideurs, ceux chargés du marketing de leur agence ou de leur société de courtage. Nous avons effectué le boulot difficile, semblent-ils dire, il ne vous reste qu'à vendre notre produit. Nous ne pouvons nous empêcher de prendre en pitié le malheureux agent : il semble y avoir un surcroît de créateurs et une pénurie de personnes disposant de grosses sommes d'argent à investir dans leurs projets.

L'écriture de scénarios, l'invention de logiciels, la composition de chansons relèvent toutes de marchés très compétitifs. La vente de produits qu'on ne peut ni manger ni conduire ou dans lesquels on ne peut pas s'asseoir et qui ne possèdent pas de valeur claire et tangible risque de se révéler difficile. C'est dur pour les agents. Quand vous savez qu'un réalisateur de cinéma a des centaines de scénarios empilés sur son bureau, comment faites-vous pour le convaincre d'en lire un autre, et un autre, et un autre encore ? En fait, des investisseurs existent bel et bien, des gens qui seraient contents d'avoir votre scénario ou votre logiciel. Comment les mettre de votre côté ?

La réponse se situe dans les mains du créateur : assurez-vous qu'il peut marcher *rapidement*. Assurez-vous qu'il est dans le vent, même à une petite échelle. Assurez-vous que l'investisseur a l'impression que le projet déborde d'énergie, qu'il a du tonus et qu'il est déjà en marche. Vendez 5000 exemplaires à la main de l'arrière d'un camion. Fabriquez des exemplaires de démonstration que vous distribuerez à l'occasion de grands rassemblements. Faites-le grimper en tête de la liste des bestsellers, même s'il ne s'agit que de la liste d'une petite communauté.

Si vous étiez un spécialiste du capital de risque, laquelle des deux propositions suivantes vous apparaîtrait comme la plus séduisante ?

1) Je vous en supplie, je vous en supplie, je vous en supplie, jetez un œil à mon projet. Je ne sais pas vers qui me tourner et j'ai besoin de cet argent.

2) Mon projet est sensationnel et branché. Il va faire un tabac! Je pourrais peut-être vous y intégrer, mais je ne peux pas vous le promettre.

Évidemment, n'importe quel investisseur préférera prendre une part d'un projet qui semble avoir déjà le vent en poupe plutôt que s'intéresser à un autre qui n'a pas fait ses preuves. Pourtant, les spécialistes du capital de risque, les éditeurs, les studios de cinéma, les courtiers de logiciels et les autres agents entendent constamment le premier message et très rarement le second. Ne l'oubliez pas : il ne s'agit pas d'une question de produit mais de rapidité. Pensez-y de la façon suivante : les investisseurs monteront à bord d'un véhicule en marche.

Intégrez des gens influents à votre équipe par le biais d'échanges avisés.

Lorsque Chandragupta entra en guerre contre le chef grec Séleucos, l'issue de leur bataille était indécise. Cette confrontation vit l'empereur du Magadha s'emparer de la plus grande partie du territoire, mais cela ne signifie pas que les deux hommes demeurèrent ennemis. Chandragupta intégra la fille de Séleucos dans sa famille (nous ignorons si elle devint son épouse ou sa belle-fille). Il fit également cadeau de 500 éléphants de guerre au chef grec que ce dernier utilisa par la suite avec d'excellents résultats dans des guerres qui n'avaient rien à voir avec l'Inde.

Nous rencontrons tous des personnes susceptibles de nous aider. Ne les craignez pas. Accrochez votre wagon au leur et proposez-leur tout le soutien dont vous êtes capable en retour. Un système de classes existe dans pratiquement toutes les sociétés, mais les personnes douées pour les contacts sociaux bénéficient d'un immense avantage. Si vous avez la possibilité d'embaucher des gens influents, la situation de votre entreprise pourra en bénéficier largement. Dans la mesure où cela n'est pas déplacé, offrez-leur un cadeau (mais pas quelque chose de cher – Kanakya déclare qu' « offrir un cadeau de valeur à un homme riche revient à faire tomber de la pluie dans la mer »). Acceptez ceux qu'ils vous offrent. L'équipe extrêmement dynamique que vous avez formée deviendra d'autant plus forte que vous serez associé à des partenaires stratégiques puissants. Le prix ultime n'est peut-être pas celui qu'imaginent les gens.

Que voulait Chandragupta Maurya ? Il était à la tête de l'un des plus grands empires du monde et il disposait de tout ce que peut acquérir l'argent. L'entouraient également une famille et des amis aimants. Il avait pourtant l'impression que ni la richesse matérielle ni les liens familiaux ne lui offraient l'épanouissement qu'il souhaitait. Il désirait autre chose.

L'HOMME QUI ABANDONNA LE MONDE

L'homme qui avait tout ne voulait rien. Je n'entends pas par là qu'il possédait tout ce qu'il voulait ni qu'il désirait posséder le minimum vital. Non, il souhaitait ne rien posséder du tout. Il ne voulait ni amis, ni maison, ni possessions, ni nourriture, ni boisson, ni rien d'autre : aucune palpitation vitale dans ses veines, aucune *vie*. Il voulait être libéré de tout. Comme toutes les possessions du monde ne pouvaient pas le satisfaire, il avait décidé d'aller à l'autre extrême. Il voulait atteindre la plénitude et il acquit la conviction qu'il y parviendrait en terminant sa vie par un voyage intérieur, vers son âme.

Il étudia le jaïnisme, nouvelle religion qui se répandait dans le pays depuis plusieurs dizaines d'années, et il devint rapidement adepte de sa forme la plus extrême. Le bouddhisme et le jaïnisme en étaient à leurs balbutiements en Inde à l'époque, et les maîtres de ces deux systèmes de croyances s'activaient énergiquement, voyageant de ville en ville pour les propager.

Chandragupta Maurya abandonna tout. Son palais, ses soldats, sa couronne, tout ce qu'il possédait, il le céda à sa famille et à ses amis. Malgré la violence à laquelle il avait dû avoir recours pour bâtir son immense empire, l'Inde était en paix. Lorsqu'il abdiqua en faveur de son fils, Bindusara, aucune agitation ne troublait le pays.

Sans posséder le charisme de son père, Bindusara paraissait capable de maintenir les choses, voire de continuer à étendre le royaume.

Mais Chandragupta n'en avait plus cure. Il s'était détaché de tout et était désormais insensible aux besoins physiques et émotionnels. Il se revêtit du plus humble sac de jute et rejoignit l'un des groupes d'ascètes les plus radicaux du monde. Nous avons beaucoup de mal à comprendre comment son esprit fonctionnait à l'époque ou ce que sa famille et ses amis pensèrent de sa décision. Personne n'essaya cependant de l'empêcher d'agir. Après tout, il était le Maurya que rien ne pouvait arrêter. Quand il voulait faire quelque chose, il se contentait de le faire.

Chandragupta devint le disciple d'un saint jaïn appelé Acharya Bhadrabahu qui était le huitième et, selon certains récits, le dernier élève vivant du fondateur du jaïnisme, Mahavira Nataputta. L'empereur se rendit à Karnataka dans le sud avec un groupe d'autres jaïns et s'installa sur un terrain isolé, cerné de deux montagnes entre lesquelles coulait un cours d'eau. Ils vécurent dans les plus humbles conditions, dans une caverne située à Sravanabelgola, construisant des temples et érigeant des statues abstraites. (La grotte est toujours là et il semblerait que rien n'a pratiquement changé depuis plus de deux millénaires.)

L'ancien empereur épousa une doctrine appelée *sallekhana* qui consistait à atteindre volontairement une mort sainte par le jeûne. Le jaïnisme, de même que les autres religions, considère le suicide comme une erreur et un péché. Le *sallekhana* n'y était cependant pas assimilé. L'inanition volontaire relevait d'autre chose, dans la mesure où elle se contentait de reconnaître l'obsolescence programmée du corps humain. Elle n'était pas considérée comme un acte de suicide actif, mais comme un simple refus de prolonger l'attente d'une mort inévitable.

Le saint jaïn conseilla sans doute à Chandragputa de se repentir de toutes ses mauvaises actions, de ses actes de violence, des mensonges qu'il avait proférés, de ses jouissances sensuelles et de l'acquisition de ses biens temporels. Puis, l'empereur s'entendit déclarer qu'il devait se détacher de toutes les choses de la vie, nourriture et eau comprises. En s'engageant au *sallekhana*, Chandragupta apprit sans doute que l'acte noble qui consistait à se laisser mourir de faim n'aurait aucun sens s'il était accompli pour de mauvaises raisons, comme de vouloir se tailler une réputation parmi les êtres humains, acquérir la divinité, la popularité personnelle, ou mourir plus rapidement pour éviter la douleur et la souffrance. Il fallait au contraire y adhérer comme à un moyen d'accomplir son destin, en quittant volontairement son corps terrestre pour devenir un fragment du firmament immortel.

L'empereur reçut alors l'ordre de méditer. On ne put davantage détourner Chandragupta de son entreprise qu'on n'avait pu l'arrêter dans ses autres objectifs. Assis sereinement dans la grotte de Karnataka, il se laissa mourir de faim. Et comme il est l'un des rares individus de cette époque dont le nom demeure connu, il parvint à acquérir une certaine dose d'immortalité.

UNE FIN VIOLENTE

Mais qu'advint-il de son vieil ami et mentor, de l'homme aux noms multiples, né sous l'identité de Vishnugupta, mais connu sous celle de Chanakya et qui écrivit sous celui de Kautilya ? Il rédigea et publia encore de nombreux ouvrages, formant probablement l'école de disciples qui établirent leur compilation. De nos jours, trois livres signés de lui sont en circulation. Outre l'*Arthasastra*, dont le thème est l'économie et le gouvernement, nous avons le *Nitisastra*, petite encyclopédie plus générale d'aphorismes sur la vie, ainsi que le *Chanakyasastra*, qui rassemble ses idées.

Tous trois sont de qualité inégale. Leur grande variété de styles indique que certaines parties sont manifestement rédigées par des tiers de « l'école de Chanakya » plutôt que par lui en personne. Tous méritent cependant d'être lus, en raison de leurs opinions singulières et souvent provocatrices. Il en émane souvent un parfum de pensée zen que nous associons à une forme beaucoup plus tardive de bouddhisme chinois. Certains pensent que leur manque de violence signifie qu'ils n'ont pas été écrits par le même auteur que celui de l'*Arthasastra*. Nous pouvons tout aussi bien avancer que ce dernier s'adoucit avec l'âge. Pour vous donner une idée du ton de ses œuvres plus tardives, voici quelques idées de vie extraites du *Nitisastra* :

Lorsque vous prenez la route,
Ne vous arrêtez pas une seule journée dans une ville
Où vous ne trouvez pas les cinq éléments suivants :
Un homme riche,
Un prêtre qui connaît les textes sacrés,
Un gouverneur,
Un fleuve,
Et un médecin.

Celui qui abandonne ce qui est impérissable
Pour ce qui est périssable perd les deux.

Si l'or est tombé dans un tas de purin, vous le ramassez ;
Soyez donc prêt à entendre des paroles de sagesse sortir de la bouche de la
classe inférieure.

Parfois, une pellicule de lait
Flotte à la surface d'un flacon de poison.

Une analyse minutieuse chasse la peur.

Il n'existe pas de maladie comme la luxure,
Pas d'ennemi comme l'engouement,
Pas de feu comme la colère
Et pas de bonheur comme la sagesse spirituelle.

Le temps perfectionne tous les êtres humains,
Mais il les tue aussi.

Quand toutes les choses sont endormies,
Seul le temps est éveillé.

On raconte qu'il existe un rubis dans chaque montagne,
Une perle dans la tête de chaque éléphant,
Un sadhu *dans chaque ville,*
Et un arbre de santal dans chaque forêt,
Mais il n'en est rien.

Les parents qui n'éduquent pas leurs enfants
Sont leurs ennemis.

Celui qui renonce à la timidité quand il manie l'argent,
Quand il acquiert le savoir,
Quand il se nourrit,
Quand il fait des affaires,
Trouve le bonheur.

Un seul arbre desséché incendié
Peut détruire une forêt entière.

Soyez toujours satisfait si vous possédez les trois choses suivantes :
Votre propre épouse,
Assez d'aliments pour vous nourrir,
Le salaire d'efforts honnêtes.

Ne soyez jamais satisfait du total des trois choses suivantes en votre possession :
La connaissance,
La spiritualité,
Les bonnes œuvres.

Un éléphant se laisse diriger par un minuscule bâton.
L'obscurité est percée par une petite chandelle.

Une colline peut être ravagée par un unique éclair.
C'est la puissance qui importe, pas la taille.

Il existe trois joyaux sur cette terre :
La nourriture, l'eau et les mots d'esprit.
Seuls les sots considèrent des morceaux de pierre comme des bijoux.

L'huile versée sur l'eau,
Un secret communiqué à une personne indigne,
Un cadeau offert à un digne récipiendaire,
Un sermon proféré à un auditeur intelligent,
Ces choses, en vertu de leur nature,
Se propagent.

Toutes les créatures apprécient les mots aimants ;
Nous devrions donc les répandre,
Car les réserves de discours agréables
Ne se tarissent jamais.

Un homme loué par les autres
Est estimé méritant,
Qu'il le soit ou non.

Un homme qui se vante
Est sous-estimé,
Alors qu'il peut être un dieu.

Un corbeau peut être perché sur une aire élevée
Mais cela n'en fait pas un aigle.

La richesse acquise par de vils moyens peut subsister dix ans,
Mais elle disparaît au bout de onze ans
Et emporte tout avec elle.

Ces pensées extraites du *Nitisastra* indiquent que le vieux mentor devint plus philosophe dans son grand âge. Bien que personne ne connaisse vraiment les circonstances de son décès, un récit intéressant circule à son propos. L'ancien ennemi juré de Chanakya, Subandhu, aurait décidé de lui causer des ennuis. Il alla donc voir le roi Bindusara pour lui révéler le secret que seuls quelques membres de l'ancienne génération au palais connaissaient : c'était Chanakya qui avait mis, dans le repas de Chandragupta, le poison ayant causé la mort de Durdha, la mère de Bindusara. Sidéré, le roi fit mener une enquête auprès de ses vieux courtisans. Stupéfait, il découvrit la vérité : le vieux sage était bel et bien responsable de la mort de sa mère.

Apprenant que le jeune roi lui en voulait, Chanakya décida qu'il était de toute façon temps de mettre un terme à sa vie, comme l'avait fait son ancien compagnon, Chandragupta. Il abandonna donc toutes ses possessions aux pauvres et alla s'asseoir sur un tas de fumier, décidé à suivre l'exemple jaïn et à mourir d'inanition.

Bindusara avait eu le temps d'approfondir son enquête et d'obtenir des informations complètes. Il avait appris que Chanakya avait juste essayé d'immuniser Chandragupta contre le poison. Les vieilles nourrices du roi lui avaient apparemment raconté en détail comment Durdha avait goûté au repas de son mari.

Le roi se rendit jusqu'au tas de bouse et d'ordures pour convaincre le sage de revenir sur sa décision. Mais ce dernier refusa. Bindusara rentra comme un fou au palais et hurla à Subandhu qu'il devait absolument empêcher Chanakya de se suicider. Le rival sournois retourna au tas de purin en compagnie d'un groupe d'amis et annonça qu'ils allaient accomplir une cérémonie en l'honneur de Chanakya. Il en profita pour insérer une braise de charbon brûlante dans le tas d'ordures sur lequel était assis le vieillard. Le feu prit, et Chanakya périt comme il avait vécu, victime d'une intrigue politique perfide.

Subandhu n'avait désormais plus de rival pour occuper le rôle de sage au palais. Or, l'histoire ne nous a rien transmis de sa sagesse éventuelle. Comme l'aurait commenté Chanakya : « Un corbeau peut se percher sur une aire élevée, mais cela ne le transformera pas en aigle ».

LA SOURCE DE LA RICHESSE

À l'aube de la civilisation, un groupe de personnes découvre que la concentration d'activité économique génère de la richesse.

LE TUMULUS DES MORTS

C'était là. Il le sentait. Charles Masson tira sur les rênes de son cheval pour l'immobiliser à l'orée du village et embrassa d'un regard circulaire les collines environnantes. À bien des égards, le site était ordinaire. Un terrain ondulant, une pente raide d'un côté, une petite colline de l'autre. Un sol sec, fendu de profondes fissures, de lézardes qui rappelaient par endroits les vestiges d'un tremblement de terre. Cela n'empêchait pas une végétation abondante de pousser dans les replis de la vallée, de même que des bosquets d'arbres à l'horizon, dont certains paraissaient séculaires. Un certain nombre de plantes possédaient des feuilles épaisses et caoutchouteuses, signe du climat extrême de cette région : aridité quasi désertique en été, pluies abondantes et inondations en hiver, chaleur étouffante durant presque toute l'année. En raison de ces rudes conditions climatiques, une population éparse habitait cette zone peu explorée par les Européens qui avaient sillonné le reste de la région. Il s'agissait pourtant d'une partie fascinante de l'Inde, ne serait-ce que par les noms exotiques relevés sur ses cartes : Le Pari de Kadir, Les Marais salants, Le Rann de Kutch.

Masson mit pied à terre et dirigea sa monture épuisée et moite de sueur vers une prairie luxuriante à l'ouest du village, où paissaient déjà les autres chevaux de l'expédition. Une lumière aveuglante et hostile tombait du ciel immense surplombant la tête du voyageur qui suivait son guide en sortant de son sac son sempiternel carnet de notes.

Au bout de quelques minutes de marche, ils parvinrent devant un petit groupe de logis d'où l'on distinguait mieux les ruines. Une fois sur place, il étudia le site et entreprit de le croquer sur le papier. Il avait sous les yeux les vestiges de ce qui avait dû être un grand château, construit à l'aide de petites briques rouge foncé. On distinguait encore de longues murailles qui formaient des lignes angulaires. Par endroits, des ruines se dressaient encore, quoique recouvertes de végétation. De toute évidence, elles étaient fort anciennes, mais de quand dataient-elles ? Apparemment, personne ne le savait.

Il remarqua que les pippals (figuiers sacrés) qui se dressaient devant lui, ces arbres qui poussent lentement, étaient vieux et flétris. On racontait que certains arbres pouvaient vivre plus de deux millénaires. Ceux-là avaient bien plusieurs siècles. Il nota dans son journal : « Les murailles et tourelles du château sont d'une hauteur imposante, même si du fait d'avoir été depuis si longtemps désertées, elles sont par endroits ravagées par l'âge et complètement délabrées. Entre elles (les murailles) et notre camp s'étend un long fossé, envahi par les herbes et les plantes. »

La topographie du site l'intrigua. « Derrière nous était érigé un large tertre circulaire ou éminence, tandis qu'en direction de l'ouest se dressait un promontoire rocheux irrégulier, couronné par les vestiges d'un bâtiment, constitués de fragments de murs équipés de cavités à l'orientale. »

L'examen des deux collines lui révéla que de toute évidence, l'une était d'origine naturelle et l'autre pas. Il s'agissait d'un coin de terre surélevée à la forme curieuse, contenant sans doute des secrets enfouis. C'était ce tertre qui éveillait sa curiosité, alors que les ruines principales se trouvaient du côté montagneux. « Cette deuxième élévation était sans nul doute naturelle ; l'autre, constituée uniquement de terre, était manifestement artificielle », écrivit-il. Qui l'avait érigée ? Et dans quel but ?

Masson endossait le rôle d'un explorateur. Ce n'était cependant pas en tant que tel qu'il était venu en Inde. En fait, il avait déserté l'artillerie du Bengale, une unité de la Compagnie britannique des Indes orientales. Têtus et doués d'un caractère bien trempé, lui et un ami avaient fui leur régiment stationné à Agra, siège du Taj Mahal. Ils avaient emprunté la direction de l'ouest et s'étaient retrouvés dans la vallée de l'Indus, région qui n'était pas sous le contrôle des Britanniques.

Si Masson n'avait pas apprécié son temps dans les rangs de l'armée britannique en Inde, le pays l'avait fasciné par son caractère brut, dramatique, par la sensation qu'il donnait d'abriter partout des trésors, au sens littéral et figuré. L'histoire lui inspirait l'appétit qui vient naturellement aux curieux. Après avoir déserté l'armée, il avait passé plusieurs années à arpenter le pays, à apprendre des mystères uniquement connus des indigènes. Il avait l'intention d'écrire un livre à son retour en Angleterre, pour gagner un peu d'argent.

De la bouche d'habitants du nord-ouest, il avait entendu des légendes sur le monde perdu, une civilisation immense et très développée ayant existé dans la vallée de l'Indus mais qui avait été balayée par les dieux quand le roi avait adopté des coutumes débauchées et dégénérées. Une histoire qui possédait une grandeur biblique et qui ressemblait à un mélange entre celle de Sodome et Gomorrhe et celle de l'Atlantide.

Masson s'était joint à un groupe traversant la région, dans le but de découvrir des trésors matériels ou intellectuels. À présent qu'il se trouvait sur place, il essayait de faire coïncider le panorama qui se présentait à lui avec ce qu'il avait appris des villageois. Visualiser avec précision l'apparence passée de l'établissement n'était pas chose aisée, mais de toute évidence, il s'agissait d'une vaste structure.

Il reprit la plume : « La tradition affirme qu'une cité existait ici, d'une telle dimension qu'elle s'étendait jusqu'à Chicha Watni, à 13 *cosses*, et qu'elle fut détruite par une intervention particulière de la providence, provoquée par la luxure et les crimes du souverain. »

Le soir, quand la température fut tombée, ils montèrent à cheval jusqu'au sommet de l'étrange tertre circulaire. Parvenus à leur but, ils demeurèrent interdits par sa taille. « Le sommet offrait amplement la place pour accueillir notre groupe et nos chevaux », écrivit-il par la suite. De cette hauteur, il acquit la conviction qu'une vaste cité indienne légendaire s'étendait à ses pieds.

Les notes rédigées par Masson sur sa visite au site que nous appelons désormais Harappa ne forment qu'une petite partie du livre qu'il publia par la suite sous le titre de *Récit de différents voyages au Baluchistan, en Afghanistan et au Pendjab* (Londres, Richard Bentley, 1842). On ne prêta guère attention à ces notes, et dans les années 1850, les vieilles briques du site furent extraites par dizaines de milliers pour servir de matériau à un chemin de fer construit par les Britanniques.

De temps en temps cependant, plusieurs autres historiens et archéologues, anglais et indiens, s'intéressaient à cette région : elle paraissait particulièrement riche en légendes, mais presque totalement négligée. Nombre d'entre eux passèrent à côté des trésors enfouis sous le sable. En 1912, un archéologue indien, D. R. Bhandarkar, se rendit à un tertre semblable à Harappa appelé Mohenjo-Daro – le tumulus des morts – et déclara qu'il ne pouvait être ancien, du fait que « les briques qu'on y trouve sont de type moderne ». De toute évidence, personne n'aurait pu fabriquer ce genre d'objet par le passé.

Ce ne fut pas avant 1921 et le pillage désastreux des briques d'Harappa par des générations de bâtisseurs que les archéologues prirent pleinement conscience des remarquables trésors historiques ensevelis sous ce tertre et sous d'autres tertres de la région. Plus ils les creusaient, plus ils demeuraient stupéfaits par leurs découvertes. Sous la terre gisaient les vestiges d'une chose inconcevable : à l'intérieur d'une couche vieille d'une cinquantaine de siècles était ensevelie une grande cité bâtie à partir d'un plan au niveau technologique élevé.

Une découverte comparable à celle de l'Atlantide.

Les historiens saluèrent avec joie la confirmation de la découverte de cette très vaste cité ancienne dénommée Harappa. Ces ruines évoquaient une civilisation qui paraissait « trop développée » pour son époque ; cela signifiait que les livres d'histoire devaient être réécrits : une activité pour laquelle les historiens ont un goût pervers.

Une année après fut découverte la vérité au sujet du tumulus des morts. Mohenjo-Daro avait manifestement été bâtie selon des plans similaires, par des constructeurs ayant des liens avec ceux d'Harappa. Les briques étaient de « type moderne », mais cela ne signifiait pas qu'elles avaient été fabriquées récemment ; quelqu'un avait construit une usine de briques de style contemporain qui produisait à la chaîne des articles standardisés bien avant l'époque où cela aurait dû être possible. La cité moderne découverte à Harappa ne présentait donc pas un caractère exceptionnel : une espèce de nation avait manifestement existé en ce lieu ; une grande civilisation, jusque-là inconnue, avait construit une série de centres urbains déployés sur une vaste région.

Ces découvertes n'enthousiasmèrent pas seulement les archéologues, mais aussi les savants, les démographes et les anthropologues. On peut difficilement exprimer leur signification. Des siècles durant, les historiens avaient supposé que les premières villes étaient constituées par les centres urbains de Mésopotamie, d'Égypte et de Chine. Cependant, les ruines de la vallée de l'Indus étaient tout aussi anciennes, mais beaucoup plus stupéfiantes pour deux raisons. Leur superficie pour commencer : disposées en groupes de bâtiments, couvrant une zone immense, elles rapetissaient les autres conurbations. Les monticules étaient répartis sur une région plus étendue que l'Europe occidentale. En second lieu, les zones urbaines, ailleurs dans le monde, avaient grandi de manière organique : les villages s'étaient métamorphosés en villes, les villes s'étaient fondues les unes dans les autres pour former ensuite de grandes métropoles.

Les villes de l'Indus présentaient un aspect différent : elles étaient en partie ou totalement planifiées, et soigneusement bâties en fonction d'une grille. Ce détail indiquait que leurs créateurs avaient atteint un niveau beaucoup plus avancé de développement social qu'on ne pouvait l'attendre d'une époque si reculée de l'histoire de l'humanité.

Au départ, les historiens utilisèrent le terme « Harappa », nom de la première cité découverte lors des fouilles, pour désigner cette ancienne civilisation, puis ils décidèrent que celui de « civilisation du fleuve Indus » était mieux adapté. Au fil des quatre-vingts années suivantes cependant, quand se révéla la taille de la région qui s'étendait de toute évidence bien au-delà des rives du fleuve, ils abandonnèrent cette expression pour revenir au terme harappéen. Suivant l'exemple de Rome et de l'empire romain, ils employaient le nom de la ville principale pour désigner la civilisation. Des érudits plus récents pensent qu'ils ont déduit le nom du lieu. Nous y reviendrons.

Des découvertes stupéfiantes continuent à être effectuées dans cette région, dont une grande partie reste à ce jour inexplorée. Nous disposons cependant d'éléments pour affirmer que des individus extraordinairement innovateurs y ont laissé leur empreinte, il y a effectivement fort, fort longtemps.

Mais qui étaient-ils, comment travaillaient-ils et que pouvons-nous apprendre d'eux ?

Si nous nous concentrons essentiellement sur des textes anciens comme l'*Arthasastra*, la *Bhagavad-Gîtâ* et le *Kama Sutra*, ainsi que sur les personnes qui leur sont associées, le chapitre présent évoque une communauté qui produisit des écrits que nous sommes incapables de lire. Les textes trouvés sur ces lieux n'ont pas encore été décodés. Le degré d'innovation et de pensée stratégique des habitants de cette plaine poussiéreuse et aride – rendu évident par des artefacts, des textes mystérieux et des vestiges archéologiques – est tellement remarquable que ces génies inconnus méritent d'être célébrés de concert avec leurs descendants plus accessibles et à propos de qui nous disposons de plus d'informations. Les habitants de cette région sont responsables de certaines des percées les plus extraordinaires de l'histoire humaine… et ils fournissent des leçons inestimables aux gens d'affaires contemporains.

L'IDÉE DE L'HOMME FOURMILIÈRE

Ils le prirent pour un fou. Et ils avaient probablement raison.

Quelqu'un – son nom fut égaré au cours de l'histoire – eut une idée extraordinaire au début de l'âge du bronze, il y a entre 4300 et 5000 ans. Une notion tellement bizarre que nous avons du mal à en comprendre le raisonnement. Bien sûr, nous ne savons rien de lui et nous ignorons même s'il était de sexe masculin. Cependant, au vu du sexisme inhérent des premières sociétés humaines – qu'il s'agisse de communautés de chasseurs-cueilleurs ou de groupes d'agriculteurs – nous pouvons déduire que ce principal décideur était un homme.

Son idée était la suivante : construisons un supervillage. Bâtissons un lieu pour loger non pas une seule famille ni un clan, mais un millier de personnes. Ou 40 000.

À cette époque, des groupes d'humains venaient de passer du modèle primaire d'existence, qui consistait à vivre en colonies tirant leur subsistance des ressources naturelles, au modèle agricole, dans lequel les hommes choisissaient sciemment des plantes, débroussaillaient des champs et faisaient pousser de nombreuses récoltes. Ce passage d'un état à l'autre fut accompagné d'un élargissement subit et frappant de la taille moyenne des établissements. Il constitua une étape majeure du développement de l'humanité.

Ces villages agricoles basés sur la culture de la terre étaient toujours installés à proximité d'une source d'eau abondante et se développaient en général selon un schéma identique. Un fermier défrichait un lopin de terre et faisait pousser une ou deux récoltes. Sa famille s'agrandissait, ainsi que d'autres familles autour de lui, le nombre de logis passait de quelques huttes à un groupe de baraques en boue et en bois abritant un clan. Des communautés similaires se développaient indépendamment les unes des autres selon le même principe dans de nombreux lieux.

Un homme de la vallée de l'Indus avait une autre idée. Il voulait construire un vaste réseau de bâtiments qui s'imbriquaient, de taille à abriter des dizaines de milliers d'êtres humains. Ces logis en forme de boîte ne s'étendraient pas uniquement à l'horizontale, mais à la verticale. Certains comprendraient deux, voire trois étages. Lorsqu'il dessina son projet dans le sable pour le montrer à ses compagnons, ces derniers, déconcertés par sa nouveauté, trouvèrent sans doute qu'il ressemblait à une gigantesque fourmilière à l'échelle humaine.

Cet inventeur était probablement un bâtisseur jouissant d'un certain pouvoir, un homme d'un certain âge respecté qui était passé du métier de charpentier à celui de contremaître chargé de construire des villages pour le dirigeant local. Ses compagnons se dirent sans doute que le temps qu'il avait consacré à ériger des maisons sous le soleil torride lui avait embrouillé l'esprit. Pour quelle raison quelqu'un voudrait-il construire une hutte s'étendant sur plus de 5 000 pas dans toutes les directions ? Quel profit en tirerait-on ? Cela serait incroyablement peu pratique. Il faudrait beaucoup de temps pour marcher jusqu'aux champs. Et comment s'approvisionnerait-on en eau, si l'on habitait à l'autre extrémité, loin du fleuve ? Et le système d'égouts ? Aucun homme ne ferait une heure de marche chaque fois qu'il aurait besoin d'uriner ou de déféquer. Ce projet leur parut sans doute ridicule, et ils formulèrent probablement un nombre incalculable d'objections.

Pourtant, l'homme des « superhuttes » continua à défendre son projet et persuada ses concitoyens – sans doute un à la fois – que le tester valait le coup.

Ainsi fut donc mise en chantier la première ville planifiée. Il s'agissait probablement de la troisième à faire son apparition sur notre planète – les deux premières se trouvaient en Mésopotamie et en Égypte. Ce centre urbanisé de citadins était néanmoins destiné à se développer bien davantage.

Imaginez notre Homme Fourmilière, visionnaire mais objet de vifs sarcasmes, occupé à surveiller sous un soleil de plomb des centaines d'ouvriers construisant des bâtiments comme personne n'avait encore essayé de le faire.

– Voici le plan, disait-il à l'aide d'un rameau épointé, dont il se servait pour dessiner sur le sol, et d'une longue planche marquée de divisions qui lui permettaient de s'assurer que les proportions correspondaient bien les unes aux autres. Ici, il y aura une zone qui constituera le « centre-ville », leur expliquait-il en traçant un grand rectangle au milieu du graphique. À côté du centre-ville, nous aurons un tertre réservé au palais où logera notre souverain respecté. Et autour du centre s'étendra un réseau de résidences destinées à la population.

Il dessina alors sur toute la carte ce que nous appelons aujourd'hui des rues, courant du nord au sud, ainsi qu'un certain nombre d'artères plus étroites allant d'est en ouest. Les rues principales faisaient neuf mètres de large. Quant aux rues secondaires, des ruelles plutôt, elles mesuraient entre un mètre cinq et trois mètres.

Je ne dis pas qu'il construisait à partir de rien sur un terrain vierge. Lorsque l'Homme Fourmilière fit son entrée en scène, des maisons se dressaient déjà à Harappa depuis des siècles. Il s'agissait de logis individuels éparpillés ou de villages conventionnels. Sa grande contribution consista à introduire une cité planifiée et une ère de standardisation obsessionnelle, à une échelle encore inconnue sur notre planète. En l'an 2300 av. J.-C., il dirigeait un projet qui faisait usage de règles standardisées, de poids standardisés et de dessins standardisés pour tout, des briques aux assiettes, aux verres et aux plans de cités.

Il consulta de nombreuses personnes, et peut-être pas uniquement des architectes et des ingénieurs. Certains érudits indiens disent voir des indications selon lesquelles il s'adressa également aux premiers maîtres du *Vastu Sastra,* un genre d'art géomantique comparable au feng shui, système de courant d'énergie qui fut développé en Chine. (Selon d'autres, le *Vastu Sastra* est un produit de l'hindouisme et se développa plus tard.)

La pose de la première brique fut sans doute précédée de milliers de calculs pour décider du nombre nécessaire de briques et de leur taille. L'uniformité passait avant tout le reste, et on se mit d'accord sur la dimension des briques avant d'entreprendre le travail.

— Toutes les briques feront une mesure de hauteur, deux mesures de largeur et quatre mesures de longueur, décréta l'Homme Fourmilière.

Des commandes de milliers de briques cuites mesurant 1 x 2 x 4 furent passées à des spécialistes qui consacrèrent sans doute des années à travailler sur les fourneaux d'où allaient sortir les matériaux bruts. Les briques utilisées étaient principalement séchées à la chaleur, contrairement à celles plus communes et plus faciles à fabriquer séchées au soleil. Cela laisse entendre qu'une quantité suffisante de ressources, d'engagement et de foi était consacrée à ce projet, pour qu'il puisse bénéficier des matériaux de la meilleure qualité.

La cité prenant forme, ses merveilles éclatèrent sans nul doute aux yeux de ceux qui y emménageaient. Elle présentait un niveau de technologie encore inconnu sur la planète. Personne ne devait se rendre à pied à la rivière pour puiser de l'eau fraîche ; des puits étaient creusés de main d'homme à distance régulière. Les habitants n'avaient pas non plus à se rendre dans des champs lointains pour déféquer (comme doivent le faire encore beaucoup de gens dans l'Inde moderne, en raison de l'absence générale de sanitaires publics). Les maisons disposaient de leurs propres latrines et salles de bains. Un système de drainage sophistiqué avait été installé, équipé d'égouts souterrains qui emportaient les ordures hors de la ville. Cet homme connaissait la valeur du recyclage : les eaux usées s'écoulaient dans les champs où elles servaient d'engrais pour les cultures.

Les rues étaient coupées sur la grille selon des angles permettant que le vent chasse tous les déchets produits. Les fenêtres et les portes étaient placées de sorte à apporter l'air, la lumière et peut-être la chance du *Vastu Sastra* aux habitants. Les logements existaient au moins en deux tailles : vastes et aérés pour les familles nobles et petits pour les gens ordinaires. Des cours d'eau étaient détournés, afin de former des réserves d'eau fraîche juste à l'extérieur des murs de la ville.

La première cité remporta sans doute un vif succès, puisque d'autres furent construites selon des plans similaires. On dispose d'éléments d'évolution organique à Harappa, montrant que les bâtiments durent être installés autour d'une série de structures déjà présentes. Mais ce problème fut partiellement résolu dans la cité suivante, Mohenjo-Daro, qui est presque entièrement planifiée, et complètement dans la troisième, Dolhavira, apparemment « construite sur commande ». Pour finir, longtemps après la mort de l'Homme Fourmilière, une chaîne de cités modernes se déroulait du Pakistan actuel jusqu'à New Delhi.

Les cités d'Harappa, Mohenjo-Daro, Dholavira et autres ne se contentaient pas d'être matériellement remarquables. C'étaient des lieux régis par une administration organisée, où se pratiquait le commerce international et où était étudiée l'économie. En outre, les arts y étaient florissants, comme le montre la quantité d'œuvres que les fouilles ont produite. On a trouvé de multiples objets de cuivre et de bronze. On a également découvert des poteries et une vaste collection de jouets en terre cuite. Nous avons ensuite les célèbres sceaux d'Harappa, qui permettaient aux résidants de conclure des transactions grâce à l'impression d'images et de marques d'écriture pictographique sur leurs surfaces. Cet élément indique un système juridique développé. Certains spécialistes pensent en effet qu'une pierre marquée de symboles de cette région, datée d'il y a environ cinq millénaires et demi, constitue le premier exemple d'écriture au monde.

En ce qui concerne les sciences modernes, les investigations archéologiques de cette région n'en sont qu'à leurs balbutiements. Des milliers de kilomètres carrés n'ont pas encore été entièrement explorés. Un fait essentiel a néanmoins été clairement établi : un groupe d'habitants de l'Inde, dont l'existence était à peine connue il y a un siècle, doit être compté au nombre des pionniers de la civilisation humaine. Ce groupe créa les villes planifiées à partir d'un quadrillage, que nous pouvons considérer comme les ancêtres des cités modernes planifiées telles que New York.

Mais voici le plus sidérant : la concentration d'énergie humaine sur un espace petit et resserré créait de la richesse de multiples façons. Les choses changeaient rapidement de mains, produisaient de la valeur. L'argent n'avait pas encore été inventé, si bien qu'une sorte de système de « carte de crédit » fut apparemment mis en place, les familles disposant d'un sceau personnel qu'elles pouvaient utiliser pour marquer leurs marchandises et authentifier leurs transactions. Petit et carré, il contenait des lettres et une image. (Le temps passant, la licorne devint le sceau le plus courant – la carte VISA ou American Express de l'époque, peut-être.)

De plus, l'explosion d'énergie créatrice en ce lieu semble avoir déclenché un niveau stupéfiant d'innovation dans les autres domaines. On pense par exemple que les premiers transports sur roues furent développés par ces individus. Rien d'impressionnant selon nos normes, quelque chose comme une charrette traînée par des bœufs. Mais il s'agissait alors d'un progrès technologique extraordinaire. La communauté était fière de ses transports, sans doute nombreux : pour preuve, la largeur des artères et le grand nombre de chariots miniatures en argile qui a été découvert. Ces hommes connurent probablement les premiers embouteillages du

monde. Leur communauté mit sans doute au point une technologie précoce présageant l'invention des filatures de coton, qui s'acquit probablement la renommée de produire des textiles raffinés, frais et attrayants.

La preuve de transactions « scellées » à l'aide de symboles montre
que leurs échanges commerciaux les menaient loin; en effet, nombre
d'entre elles se faisaient avec la Mésopotamie, l'autre principale civilisation précoce de la planète.

Comment s'appelaient-ils et qui était leur dirigeant ? Personne ne le
sait. Leur langage écrit reste à décoder et il n'existe aucun registre indiquant
le nom de leurs souverains ou de leurs villes. Quelques indices intéressants
semblent néanmoins nous fournir le nom de leur pays. Les Mésopota-
miens, dont les historiens ont pu décrypter les écrits, évoquent une grande
communauté marchande dénommée « Meluhha », dont les habitants, vivant dans des villes situées au bord de l'eau, amarraient leurs bateaux et
leur vendaient des marchandises. Les sceaux caractéristiques de Harappa
ont été importés en Mésopotamie, et on trouve dans les deux lieux des objets qu'ils ne peuvent qu'avoir échangés.

Les hommes qui s'installèrent au cours des siècles suivants en Inde se
donnèrent le nom d'Aryens (les nobles). Ils utilisaient le terme *mlechhas* à
propos de leurs prédécesseurs, mot qui prit une connotation méprisante et
que l'on pourrait comparer à celui d'«indigènes primitifs», employé plus
tard par les colons. Ce mot n'étant pas composé de phonèmes de la langue
aryenne, nous pouvons en conclure qu'il s'agissait d'une tentative de prononciation d'un terme local. *Mlechha* est assez proche de Meluhha pour
nous permettre d'émettre cette hypothèse.

Cette grande nation commerçante du désert, avec ses multiples et
grandes cités étendues sur un vaste territoire, était donc probablement
connue sous le nom de « pays Meluhha des Cités lacustres » ou sous une

expression similaire. Ses habitants étaient des gens fiers qui réussissaient. Ils ne pouvaient savoir à l'époque qu'en raison de facteurs extérieurs non maîtrisables, leurs cités miraculeuses étaient condamnées.

AU SUJET DE L'INNOVATION

Si nous les observons de notre position privilégiée, 4300 ans plus tard, les habitants de Meluhha nous apparaissent comme des faiseurs de miracles, comme les bâtisseurs d'une véritable Atlantide, d'une poche primitive de génie humain. En réalité, ils ne sont probablement guère différents de tout groupe d'individus qui s'essaie à des nouveautés. Les inventeurs qui incitèrent leur communauté à faire l'expérience de plusieurs modes de construction de villes durent sans doute affronter les mêmes aléas, les mêmes séries de rejets et de succès, le même processus constitué de plusieurs pas en avant suivis de plusieurs pas en arrière que quiconque s'essaie à construire un grand bâtiment aux caractéristiques nouvelles. Cela ne les empêcha pas de persévérer et de parvenir à un résultat qui marqua l'histoire humaine. Entre autres exploits, ils nous ont laissé quelques leçons remarquables.

Faites confiance au génie de votre voisinage : les véritables innovateurs ne sont pas légion.

Dans le monde des affaires, c'est un truisme de dire que les véritables innovations sont beaucoup moins courantes qu'on ne le pense. On a beau considérer souvent les entrepreneurs comme des personnes accomplissant quelque chose d'inédit, la majorité des gens d'affaires se contentent en fait de répéter des activités anciennes, mais avec de légères variantes. Pour 99 % des entreprises commerciales, le chemin vers la richesse consiste à construire un piège à souris un peu amélioré et non à concevoir une nouvelle forme révolutionnaire d'instrument de capture des rongeurs (même si la publicité affirme le contraire). Combien de fois avez-vous lu des publicités pour des voitures annonçant quelque chose du genre : « Ceci n'est pas une voiture mais une invention » ? Un slogan bien tourné, mais mensonger. Il ne concerne qu'une voiture : une boîte métallique équipée de roues dans chaque angle.

Rares sont les innovations authentiques, mais elles existent. Elles ont tendance à fleurir dans des situations où se condense beaucoup d'énergie humaine. Cela ne signifie pas qu'une personne issue d'un taudis est incapable d'avoir une idée lumineuse. Le modèle de Silicon Valley est poutant plus courant, pour des raisons pratiques : un groupe de personnes, qu'il s'agisse d'habitants de Meluhha ou d'obsédés du point com, se réunissent en un lieu, et les étincelles projetées par leurs activités et interactions produisent une foule de notions créatrices.

Des idées géniales surgissent effectivement de nulle part de temps en temps – tout le monde ou presque en a, à l'occasion. Il y aura des moments dans la vie où soit vous, soit vos associés, aurez une idée absolument révolutionnaire, même s'il est impossible de savoir, en raison de toutes sortes de facteurs, si elle dépassera le stade de simple notion. Votre nouvelle idée modifiera peut-être les règles du jeu et sera qualifiée par les analystes de « changement de paradigmes ». Si la chance vous sourit, vous ou l'un de vos collaborateurs serez un individu extrêmement créatif qui produira des idées originales et innovatrices à intervalles réguliers. Et de temps en temps, l'une ou l'autre fonctionnera.

La véritable créativité est une denrée merveilleuse – et plutôt rare. Nous ne savons pas encore grand-chose à son propos. Il s'agit de la faculté qu'ont certaines personnes de relier mentalement les idées sous une forme nouvelle. De minuscules « étincelles » ne cessent de voyager le long des ganglions de matière grise ou de traverser le corps calleux, cette passerelle qui relie les hémisphères droit et gauche du cerveau. Un jour, un de ces fragments d'énergie bioélectrique franchit brutalement une division dans une direction qui n'a pas encore été abordée, les idées s'assemblent de façon différente dans votre tête et une idée brillante naît.

Un entrepreneur devrait-il s'emparer de toutes les idées brillantes issues des cerveaux de son équipe ? La nature des affaires implique que seulement une sur cent ou une sur mille va modifier le monde d'une façon vraiment quantifiable. Mais un certain nombre d'entreprises modernes très florissantes – Pixar, la société d'animation, en est un exemple – ont pour culture d'encourager l'esprit d'innovation de tous leurs employés. Elles font tout pour que les idées fusent et se développent, indépendamment de leur caractère excentrique ou hors sujet. Elles savent que la véritable innovation est une plante rare : si vous la voyez jaillir partout dans votre entreprise, faites le nécessaire pour la nourrir. À long terme, elle pourrait vous rapporter de juteux dividendes.

Mais soyez prêt à l'échec. Les meilleures idées échouent parfois, des idées qui portent pourtant nettement la marque de la « réussite ». Pensez au minidisque : un CD audio minuscule réinscriptible qui fut commercialisé au cours des années 1980 dans l'idée (a) que les gens aimeraient enregistrer leurs propres CD, tout comme ils enregistraient leurs cassettes audio dans les années 70, et (b) qu'ils apprécieraient les petits médias portables. Ces deux idées visaient plus que juste et elles étaient démontrables. En l'an 2000, les gens enregistraient effectivement leurs propres CD par millions et en 2005, les petits instruments numériques séduisants étaient dans le vent. Pourtant, le minidisque n'était confiné qu'à une petite place dans l'histoire des gadgets numériques. Il avait offert l'avenir au public avant que ce dernier fût prêt à l'accueillir.

Une histoire un peu différente mais tout aussi malheureuse sur le plan des affaires fut le développement du Newton par la société Apple Computers Inc. Innovators, qui pensait que le public *achèterait un ordinateur portable capable d'écrire avec un crayon spécial*. Il serait constitué d'un bloc-notes et d'un journal ; il deviendrait une espèce d'assistant personnel numérique. Des sommes énormes furent investies dans le développement du Newton, mais les imperfections de sa fonction d'analyse de l'écriture en firent l'objet de risées. Ce produit fut un échec, mais l'idée n'était pas perdue pour tout le monde. Dix ans plus tard, des millions d'instruments maniables présentant des fonctions d'écriture améliorées étaient vendus, mais pas par Apple.

La naissance d'une idée brillante constitue la première étape, mais cette première étape est relativement brève. Il faut ensuite la faire fonctionner sur le plan commercial, et il s'agit là d'un pas de géant.

Votre équipe n'a pas besoin de conquérir le monde ; elle doit juste produire le modèle d'un produit de classe mondiale que d'autres gens pourront utiliser ailleurs.

Nous avons déjà évoqué l'importance de la formation d'une équipe. Le monde a atteint un niveau de complexité qui rend pratiquement impossible l'accomplissement de quelque chose de significatif par ses propres moyens. Le plus solitaire des métiers ne peut pas être exercé dans l'isolement absolu. Vous êtes peut-être extrêmement doué pour produire de magnifiques illustrations à l'aide d'un crayon 2B et d'un pinceau à aquarelle. S'il est improbable que quelqu'un puisse vous aider à créer l'illustration, vous avez quand même besoin d'un réseau qui fera fructifier matériellement votre don : à tout le moins, il vous faut des fournisseurs de matériaux bruts à des prix de gros, un agent pour commercialiser vos œuvres, un propriétaire de galerie pour les exposer et des éditeurs pour les acheter et les proposer au public.

De nos jours, vous aurez probablement aussi besoin d'un ami ou d'un associé qui s'y connaît en logiciels et en matériel informatique, devenus indispensables à la production et à la commercialisation des images. Même un artiste a besoin d'une équipe, comme tout le monde.

L'Homme Fourmilière eut une idée. Sans doute germa-t-elle dans le cerveau d'une seule personne, voire de deux. Ils constatèrent que l'énergie humaine prenait une tout autre dimension quand les gens se rassemblaient. Mais transformer cette idée en réalité pour des milliers de familles exigea sans doute la participation d'un grand nombre d'individus. La magie opérée quand on forme une équipe se produit tout autour de nous, de la plus petite à la plus grande échelle.

Deux personnes qui se marient créent une structure plus large que l'association d'individus : une cellule nouvelle, une entité légale, psychologique, émotionnelle, qui devient la base d'une nouvelle famille. Comme je l'ai dit plus tôt, dès qu'il s'agit d'êtres humains, le total est supérieur à la somme de ses composants. Pensez à cette vérité démultipliée, lorsque l'organisation que vous fondez n'est pas constituée de deux ou trois, mais de deux ou trois mille personnes. L'Homme Fourmilière le découvrit avec sa ville de 40 000 habitants.

Nous sommes nombreux à nourrir de grandes ambitions. Nous voulons réussir en affaires. Nous voulons créer des marchandises ou des services qui seront utilisés par des milliers, des dizaines de milliers, voire des millions de gens. Cependant, nous reculons devant les mesures que nous sommes contraints de prendre pour transformer ces rêves en réalité : nous n'avons pas le courage de former une grande équipe pour concrétiser nos grandes ambitions. Écoutez-moi bien : vous n'avez pas à conquérir le monde, vous devez juste créer un modèle que d'autres pourront utiliser.

L'Homme Fourmilière rassembla une équipe assez étoffée pour bâtir une seule cité. Ils inspirèrent la construction de villes du même modèle dans le voisinage, lesquelles furent érigées à partir de plans identiques. Nous savons aujourd'hui qu'il existe des dizaines de sites où les hommes de Meluhha bâtirent des villes et des cités. Il est fort peu probable que l'Homme Fourmilière ait été personnellement impliqué dans ces constructions, hormis la sienne. Mais au bout du compte émergea une nation développée, d'une superficie assez vaste pour recouvrir une large partie du Pakistan, de l'Inde et de l'Afghanistan. L'un des sites de la civilisation de Meluhha est en effet Shortughai, situé dans la partie de l'Afghanistan limitrophe de la Russie. La franchise était facilement transportable.

Cette constatation a été utilisée par les plus récents innovateurs contemporains. Ray Kroc n'a pas fondé plus de 30 000 succursales de McDonald's. Il a bâti un modèle qui pouvait être dupliqué partout par des franchises. Howard Schultz n'a pas équipé les 11 000 succursales de Starbucks partout au monde ni utilisé le même système de franchise que Kroc. Il a acheté à la place des chaînes de cafés déjà existantes ou fait appel à des associés sur place pour se documenter sur les coutumes, les propriétés d'un lieu. Ensuite, des équipes solides de directeurs ont été chargées de reproduire le modèle de départ de Seattle dans le monde entier.

Au moment où vous mettez en forme votre projet professionnel, vous devez effectuer un exercice. Il n'aura rien de naturel, et il sera même un peu douloureux, mais il est nécessaire. Le voici : excluez-vous de votre projet. Rédigez-le de nouveau, de telle sorte qu'il puisse fonctionner sans vous. Peu importe que vous soyez le pâtissier en chef, l'illustrateur principal, l'inventeur de base ou le seul enseignant d'une école. Transformez votre projet professionnel en une structure viable sans vous, avec un employé qui remplira votre rôle. Cette opération aura deux effets : elle diminuera l'importance accordée aux talents d'un seul individu qui fait partie intégrante de la plupart des projets professionnels ; elle rendra votre projet portatif, de telle sorte que s'il a du succès, il pourra être répété ailleurs. Cela ne signifie pas nécessairement que quelqu'un d'autre le fera, simplement qu'il s'agira d'une structure apte à fonctionner sans vous, si vous le souhaitez.

Un autre exemple : un poète affamé souhaite vivre de sa plume. Ce n'est pas en vendant des recueils de poèmes qu'il s'enrichira. Ses gains ne lui permettront même pas de nourrir son chat. Il propose donc un cours offrant à qui le souhaite la possibilité de venir l'écouter parler de poésie. Il a le don d'inspirer, il sait manier les mots, et son cours est une réussite. Son projet professionnel fonctionne, mais il ne pourra que stagner à une petite échelle : un seul cours de poésie, donné par un seul professeur capable d'éveiller l'imagination de ses élèves. Imaginez cependant la situation sous un angle différent. Il conçoit son enseignement de manière à le rendre portatif. Transplantable. Il rassemble dans des dossiers les exemples qu'il utilise pour illustrer son point de vue.

Dans chacun de ses cours, il repère une ou deux personnes, douées, elles aussi, pour communiquer leur passion. Il en fait ses assistants. Pour finir, ils se chargent de donner eux-mêmes certains de ses cours, ils le représentent et perçoivent de lui un petit salaire. Une fois l'équipe en place, elle lance d'autres cours de création, enseigne la composition de chansons, de scénarios et de nouvelles. Notre poète finit par devenir le doyen d'un établissement consacré à la littérature et n'enseigne plus que quand l'envie lui prend. Il est désormais riche, il a réussi et il peut à présent se consacrer à son activité préférée : composer des poèmes. Mais cette fois, ni lui ni son chat ne mourront de faim.

Cherchez le créneau dont personne d'autre ne veut
et servez-vous de l'avantage que vous procure sa spécificité.

Il existe un risque intéressant à courir. Les agents immobiliers nous racontent toujours que les trois éléments les plus importants de l'immobilier sont l'emplacement, l'emplacement, l'emplacement. On doit se trouver sur le lieu de l'action, affirment-ils. Ils ont tort. Il s'agit là d'une simplification, et les simplifications sont toujours trompeuses. Le mantra de l'agent immobilier peut en général se révéler utile pour un acheteur de maison lambda. Mais les gens d'affaires faisant appel à une stratégie doivent analyser beaucoup plus prudemment les problèmes et savent que la chasse aux opportunités est la clé de la réussite. Les platitudes générales ne l'aident en rien. Le choix d'un lieu est une décision comportant des compromis. Il implique des embûches cachées et des occasions masquées.

Oui, c'est formidable de disposer d'un bon emplacement; c'est agréable, pour moult raisons, d'avoir son bureau en plein centre-ville. Cette situation procure un prestige enviable, la proximité pratique des installations, la facilité des moyens de transport et un personnel satisfait. Vos employés disposent d'un vaste choix de restaurants à l'heure du lunch, ils peuvent faire un peu de shopping en rentrant chez eux. Donner la priorité à l'emplacement est un choix sans danger.

Cependant, vous devez payer une prime quand vous vous installez au centre-ville. Quel en est le montant exact? S'élève-t-elle à 50 % de plus que ce que vous paieriez si vous déménagiez dans un quartier moins branché? Ou à 100 %? À Hong Kong, Tokyo et New York, elle peut atteindre les 300 %. Quel facteur cette somme joue-t-elle dans le reste de votre organisation? Quel bénéfice tireriez-vous du choix d'un lieu éloigné du centre-ville? Serait-il négligeable, moyen, important, spectaculaire?

Trop d'entreprises ne se posent jamais cette question, alors que les habitants de Meluhha le firent. Ils prirent le risque de choisir un lieu très éloigné des autres tribus et qui leur offrait de vastes espaces ouverts sur lesquels bâtir. Il s'agissait d'une zone aride, cependant parcourue de ruisseaux et de rivières. Ils eurent l'intelligence de comprendre qu'il est possible de dévier, canaliser et maîtriser un cours d'eau. Ils savaient qu'à la saison des pluies, le niveau de l'eau s'élève. Les mesures qu'ils prirent pour contrôler l'eau leur permirent d'utiliser de vastes superficies de terre dont personne ne voulait et de les transformer. Ils s'installèrent sur un sol aride et finirent par bâtir des cités réputées pour leurs caractéristiques hydrographiques: un véritable miracle pour l'époque.

Évidemment, la question de s'approprier des créneaux dont personne ne veut n'est pas uniquement d'ordre pratique. Je viens d'utiliser l'exemple qui consiste à choisir un lieu adéquat pour vos bureaux, mais j'aimerais également vous faire saisir ce concept d'un point de vue métaphorique.

Imaginez que vous fondez un cours de langues étrangères à Pékin. Vous savez que là-bas, les habitants souhaitent avant tout apprendre l'anglais. Vous constatez qu'il existe déjà une foule d'établissements d'enseignement de l'anglais dans la capitale de la Chine. Vous pourriez créer le vôtre et faire mieux qu'eux. Ou vous pourriez vous lancer dans autre chose. Une idée vous vient alors à l'esprit : pourquoi ne pas enseigner l'espagnol ? Au même titre que l'anglais, l'espagnol est l'une des langues les plus répandues dans le monde. Pourtant, il s'agit d'un produit moins populaire. Le monde continuant à se rétrécir, ses habitants à voyager de plus en plus, il est tout à fait clair qu'un nombre croissant de personnes de langue chinoise, comme de langue anglaise, auront besoin de parler l'espagnol.

En Chine, de même qu'en Inde, vous vous apercevez que les entreprises fonctionnent à partir du « principe des chiffres qui ne sont pas petits ». Dans la plupart des communautés de la planète, des créneaux minuscules existent pour ceux qui fournissent des services très spécialisés. Avant de monter un tel service, on doit d'abord calculer s'il produira assez de bénéfices pour valoir le coup. Dans les pays à forte densité de population, il finira par y avoir assez de monde pour remplir presque tous les créneaux. Cela est d'autant plus vrai pour ceux qui sont peuplés d'un milliard d'individus, comme la Chine ou l'Inde. Même si vous proposez un service qui n'intéresse pas 99,9 % des gens, il restera toujours le 0,1 % correspondant à un million de clients potientels, car il n'existe pas de petits chiffres en Chine ou en Inde. Il y aura probablement plus de monde que nécessaire pour remplir votre école d'espagnol.

Insufflez un peu de magie dans chaque
structure de briques et de mortier.

Nous savons très peu de choses sur la culture du peuple de Meluhha, mais certains signes nous permettent de conclure qu'il utilisa des principes géomantiques dans la technique de construction des maisons.

Le *Vastu Sastra*, comme le feng shui, est un mélange de conseils pratiques pour la construction des maisons, de mysticisme et de superstitions. Pour les êtres humains vivant il y a cinq millénaires, il n'était que naturel d'inclure un peu de magie dans les plans des maisons et des bâtiments de travail. Comme ces arts géomantiques redeviennent populaires, notre société moderne réapprend des choses importantes sur l'environnement créé par l'homme, que ce dernier a oubliées depuis des milliers d'années.

La prochaine fois que vous fondez une société, ne pensez pas uniquement au nombre de chaises, de bureaux et de prises électriques dont vous aurez besoin. Insufflez également un peu de magie dans ses murs. Vous pouvez faire appel à un lecteur du *Vastu* ou à un maître du feng shui. Si cela vous semble trop ésotérique, choisissez votre brin de magie : insérez dans les plans une folie, un objet d'art, une salle de prières, une salle de jeux ou un espace de méditation. Les bâtiments doivent être davantage qu'un simple entassement de briques et de mortier. Votre trésorier se plaindra, mais ne tenez pas compte de ses remarques. Ce détail plaira à votre personnel, vos visiteurs seront impressionnés et votre entreprise se distinguera des autres.

Aucune ressource physique n'est plus susceptible de générer la richesse que la chair humaine et le sang.

Pensez à quelque chose de portable d'une grande valeur. Que vous vient-il à l'esprit ? L'or ou l'argent ? Les ordinateurs ? Les valises de stylistes ? Les colliers de pierres précieuses ? Sans doute pensez-vous à des biens susceptibles d'être emballés et vendus. Pourtant, il n'est pas nécessaire de fréquenter le monde des affaires pendant de nombreuses années pour prendre conscience d'une chose : les êtres humains sont la clé de la création de la richesse. *L'unique* clé. Ce sont la circulation et la concentration des personnes qui constituent une entreprise.

Votre restaurant de poissons ne se résume pas aux homards de votre aquarium. Il inclut les créatures non aquatiques qui en franchissent le seuil, apprécient leur repas et vont ensuite le confier à leurs amis et à leurs relations. Ceci est tout aussi vrai de l'industrie des pierres et des métaux précieux. Tous ceux qui travaillent dans ce secteur savent qu'il comporte un syndrome semblable à celui des nouveaux habits de l'empereur. Une minuscule pierre vitreuse n'est qu'une minuscule pierre vitreuse. La valeur de ce commerce réside à 100 % dans les yeux de ses clients. Les pierres coûtent le prix que leur attribuent ceux qui les regardent. C'est encore plus vrai de l'industrie de l'eau minérale, qui pousse les gens à payer un élément qu'ils peuvent en général recevoir gratuitement.

Ce n'était pas en raison des ressources matérielles présentes dans les villes principales, érigées sur un sol aride et brûlant, que Meluhha était une importante société florissante – l'une des premières en son genre sur la planète – mais parce qu'elle était formée d'une masse d'êtres humains créatifs. Le nombre d'individus entassés dans une seule communauté eut des répercussions intéressantes qui suscitèrent des changements de société : certains des logements et espaces les plus vastes devaient être des écoles, des pièces réservées au négoce, des salles de conférences, des bazars et des terrains de sport. Nous savons avec certitude que certaines villes possédaient des piscines. L'expérience, une fois atteint sa masse critique, prit sans doute une vie propre. Les affaires prospérant, des surplus agricoles ou autres furent sûrement générés et permirent à la cité de s'étendre. Ceci nous amène à un principe qui s'y rapporte :

La prise de mesures non orthodoxes crée des occasions non orthodoxes.

Le peuple de Meluhha ne put que constater qu'il avait créé de nouveaux emplois grâce à ses cités planifiées et à ses poids et mesures standardisés. Lorsque les maisons s'écroulaient, ils devaient reconstruire à l'identique : des artisans spécialisés étaient sans doute chargés d'entretenir les bâtiments. Il devait y avoir des contremaîtres qui empêchaient les gens de refaçonner leurs logis de manière à obstruer les rues ou les venelles – en d'autres termes, des fonctionnaires appartenant à une espèce de service de planification, chargés de faire observer les normes. Il devait y avoir des experts dans le domaine de l'eau qui faisaient fonctionner correctement l'écoulement. Il devait y avoir des dessinateurs pour planifier les cités, fournissant (ou vendant) les plans aux gens qui construisaient d'autres centres urbains dans la région. Il devait y avoir une importante fabrique de briques, impliquant le travail d'ouvriers, de contremaîtres, de contrôleurs de qualité, d'acheteurs de matériaux bruts, de comptables et d'autres corps de métiers.

L'environnement était imprévisible, nous en détenons des preuves matérielles : plusieurs des villes subirent des inondations et furent par la suite reconstruites selon des plans identiques. Il devait donc y avoir des bibliothécaires ou des spécialistes de l'information qui conservaient cartes et plans et les ressortaient en cas de nécessité. Les inondations devaient être dévastatrices. Je ne peux m'empêcher de souhaiter que l'Homme Fourmilière n'ait pas vécu assez longtemps pour voir sa création détruite par la crue des rivières voisines – ou au contraire, qu'il ait vécu assez vieux pour assister à sa reconstruction. Harappa fut inondée et reconstruite plusieurs dizaines de fois.

Ces cités harappéennes n'ont cependant pas survécu jusqu'à l'époque contemporaine, et il y a une raison à cela. À court, moyen et long terme, elles prospérèrent (j'entends par là des années et des dizaines d'années), mais ce ne fut pas le cas à très long terme (siècles et millénaires). Un autre principe peut en résumer la raison :

Sous les cycles des affaires générateurs d'activités existent d'autres cycles, beaucoup plus importants que nous ne pouvons le concevoir.

LES CITÉS PERDUES

Qu'advint-il des cités du désert? Pour quelle raison disparurent-elles? Leurs habitants s'enfuirent-ils ou furent-elles envahies? Pourquoi furent-elles vidées avant que la terre ne se referme sur elles et ne forme les tumulus des morts?

Depuis leur découverte dans les années 1920, les archéologues sont aux prises avec ces questions. Au début, ils pensèrent que des envahisseurs du nord, une tribu de rudes cavaliers nomades appelés Aryens, s'étaient déversés dans la région et avaient dévasté les villes de Meluhha. Cette théorie est contestée par des historiens non orthodoxes, aux sympathies nationalistes hindoues. Ils affirment qu'il existe un blanc entre les périodes durant lesquelles ces différents peuples dominèrent la région. De plus, si de nouveaux venus chassèrent les habitants d'origine, pour quelle raison ne s'emparèrent-ils pas de leurs villes? Ces dernières ne furent pas occupées, mais abandonnées, différence d'importance s'il en est.

On estime aujourd'hui que les habitants de Meluhha furent contraints de quitter leurs logis par plusieurs facteurs, à commencer par l'environnement. Les fouilles les plus récentes en ont fourni des indications. Plusieurs centaines de kilomètres au sud-est des deux cités les plus connues, Harappa et Mohenjo-Daro, a été découverte une ville planifiée sur le même modèle, Dholavira. Aussi ancienne, elle prit forme il y a environ cinq millénaires. Ses 50 hectares de superficie sont importants, même s'ils sont loin d'atteindre les 250 hectares de la plus vaste des trois, Mohenjo-Daro. En dépit de son emplacement, dans une région extrêmement aride, elle présente également de nombreuses installations hydrographiques. On a calculé qu'un tiers environ de la surface de Dholavira servait à emmagasiner l'eau. La ville, déterrée seulement au cours des vingt dernières années, fournit des idées sur les raisons qui ont pu provoquer la fin de la civilisation harappéenne.

Une promenade dans Dholavira révèle qu'elle est contenue dans un parallélogramme précis, comme les autres. Elle possède une «place urbaine»: un terrain dégagé situé en plein centre de la ville, d'une longueur de presque 300 mètres, qui servait probablement aux réunions publiques. Ces cités étaient fondées sur leur capacité à maîtriser l'eau. Dholavira fut érigée sur une pente entre deux rivières, dont l'une fut déviée afin d'emplir une citerne située le long des murailles de la ville. Malgré les variations du niveau des cours d'eau en fonction des saisons, la ville disposait de réserves d'eau fraîche toute l'année, grâce à des réservoirs. Ses murailles épaisses ont, pour certaines, une assise de cinq mètres de large.

Nous noterons avec intérêt que le quartier de la classe supérieure possède ses propres murs fortifiés, comme si les riches avaient commencé à se soucier de leur sécurité et qu'ils désiraient vivre à l'intérieur de leur propre enceinte. Le développement des classes sociales posait certainement des problèmes.

Certains spécialistes ont remarqué que la guerre en Mésopotamie coïncida avec le déclin de la société de Meluhha. Cela suggérerait que les routes commerciales furent gravement perturbées et que le revenu des habitants des plaines arides en fut réduit. Cette théorie contient probablement une once de vérité. Ces cités alimentées en eau, dans des plaines désertes, devaient une grande part de leur existence au négoce international. Les affaires leur permettaient de bourdonner de vie. Une importante perturbation des routes commerciales et de l'activité du négoce ne pouvait que nuire à ces villes aux structures assez délicates, «sur le fil du rasoir», concrètement et métaphoriquement.

Si les problèmes commerciaux constituèrent sans doute un facteur gênant, ce fut probablement la terre qui, d'après la plupart des spécialistes, finit par avoir raison d'elles. On distingue les strates de plusieurs inondations dans le sous-sol, même de tremblements de terre. On peut supposer que certains cours d'eau de la région se tarirent. Je vois bien les ingénieurs annoncer cette mauvaise nouvelle à la population, rassemblée sur la place centrale de Dholavira. Un séisme avait dévié l'une des rivières et la sécheresse avait tari l'autre. D'ici à quelques jours, les réservoirs seraient à sec. De deux choses l'une : les habitants devaient quitter la ville ou leurs dirigeants devaient trouver de nouveaux moyens de l'alimenter en eau, jusqu'au rétablissement de la situation.

Au fil des dizaines et des centaines d'années, ces problèmes s'aggravèrent, sans doute à la manière dont nous prenons tous conscience aujourd'hui des effets du réchauffement climatique global. Les conditions de vie étaient difficiles. Les systèmes précaires d'alimentation en eau des villes furent sans doute endommagés et réparés à plusieurs reprises à la suite des périodes de sécheresse intense, suivies des graves inondations. Pour finir, les dégâts causés par les intempéries les rendirent irréparables. Des indices montrent que les villes furent abandonnées, réoccupées par la suite et de nouveau abandonnées. La décision de quitter une ville riche, à la technologie développée, érigée depuis des siècles devait être difficile à prendre, mais les cycles environnementaux de sécheresses et de crues suffirent sans doute à eux seuls à contraindre les habitants les plus résistants à partir. Une leçon très claire pour nous aujourd'hui, en cette période de climat erratique, de températures en hausse, de fontes des glaciers.

Les craintes sous-jacentes se transformèrent en réalité irréfutable : les conditions changeaient à une vaste échelle. Les hommes eurent sans doute le sentiment d'avoir provoqué la colère des dieux ou d'une espèce de grand taureau divin (la prépondérance d'images de taureaux indique qu'ils devaient vouer un culte à une sorte de vache sacrée, ce qui harmoniserait leurs croyances avec celles en vigueur ailleurs en Inde). Le comportement décadent des riches, du souverain, des prêtres ou de ceux qui vivaient dans la partie « chic » de la ville ceinte de murs est peut-être la cause de cet exode. Ils s'enfuirent pour rester en vie, trouvèrent un climat plus clément et contractèrent des mariages avec des membres d'autres tribus ; la terre se referma sur les grandes cités des plaines arides. Les communautés continuèrent à exister pendant très longtemps – non pas des siècles, mais des millénaires – comme les légendes dans l'esprit des habitants de la région. On en parlait encore des dizaines et des dizaines de générations plus tard, quand les briques de l'Homme Fourmilière, parfaitement conçues et fabriquées, furent déterrées pour être réutilisées.

Mais le plus grand compliment qu'on peut leur faire est que le système d'alimentation en eau de Dholavira fait aujourd'hui l'objet d'études. Les ingénieurs en hydrographie, en Inde, affirment que dans les régions asséchées du pays, les systèmes actuels fonctionnent moins bien que ceux inventés par les êtres humains qui bâtirent les premières cités planifiées, à l'aube de l'histoire écrite. Homme Fourmilière, reposez en paix. Vous avez bien travaillé et, aujourd'hui, après plus de quarante siècles, l'homme moderne essaie d'apprendre des choses de vous.

SUR LA VICTOIRE
ET LA DÉFAITE

Quelques minutes avant de tuer ou d'être tué, un soldat affronte les grandes questions de la vie. Sa quête de réponses est préservée dans la *Bhagavad-Gîtâ*.

LES HÉSITATIONS D'UN PRINCE

Un millénaire avant la naissance du Christ, un homme vécut une crise personnelle qui eut des conséquences à travers les siècles. Elle se produisit aux environs de l'an 950 av. J.-C. La scène : une bataille, tout droit sortie du *Seigneur des anneaux*. Imaginez un terrain immense sur lequel s'affrontaient deux armées. Les soldats portaient des cuirasses de forme différente et étaient armés d'épées aux lames pesantes ou légères, de flèches rapides, et pour la plupart, d'épais boucliers de bois, de bronze et d'autres matériaux. Derrière eux se tenaient des phalanges d'archers.

Les participants à cette bataille n'étaient pas seulement des humains. Ou en tout cas, les combattants s'imaginaient que parmi eux figuraient, dans les deux camps, des créatures venues d'ailleurs ou qui possédaient des qualités surhumaines. Les dieux étaient engagés eux aussi dans cette guerre. Le combat allait être d'une violence extrême, cela ne faisait aucun doute. Bientôt, le terrain serait gorgé de sang. Des cavaliers montés, en grand nombre, et des éléphants cuirassés allaient aussi participer à la bataille.

Ces combattants étaient motivés par des allégeances opposées. Une des armées, de taille imposante, était celle d'une puissance occupante, les Kaurava, dirigée par un général brillant, sous le commandement d'un vieillard aveugle mais charismatique dénommé Dhritarashtra. Il s'agissait du général Bhishma, connu sous le surnom de Grand-Père, bien qu'il eût fait vœu de célibat et qu'il n'eût pas eu d'enfants.

L'armée adverse, de plus petite taille, était celle des Pandava. Elle était dirigée par deux hommes plus jeunes, animés par la détermination ardente de rendre son trône au roi légitime qui avait été destitué. Ils étaient frères. Le plus jeune, archer en chef, s'appelait Arjuna, et il gagnait à bord de son char sa place dangereuse, à l'avant des troupes. Son frère, Yudhishthira, le commandant en chef, était posté au centre de la ligne de front.

C'était le trône de Hastinapura, centre de la région aujourd'hui connue sous le nom de Haryana, qui devait être conquis. Il appartenait à l'origine à la branche Pandava de la famille, mais Yudhishthira, le fils aîné, l'avait perdu au profit de ses cousins, les Kaurava, lors d'une partie de dés. Pour obéir à l'honneur, les Pandava avaient respecté leur pari et abandonné le royaume pour quatorze ans. Cette période s'était écoulée et les Pandava revenaient de leur exil dans les terres forestières afin de réclamer le royaume.

Cependant, leurs cousins avaient pris goût à gouverner un vaste royaume et décidé de se battre pour le conserver. « Nous ne restituerons pas un morceau de terre gros comme une tête d'épingle », avait déclaré un membre de la famille occupante.

La guerre était donc inévitable. Bhishma, le commandant en chef des Kaurava, était redouté de tous. Au départ, cet homme s'appelait Devravata, mais à la suite d'un vœu exceptionnel, il avait été surnommé Bhishma, qui signifie « du terrible serment ». La raison en était curieuse : son père, le roi, s'était épris d'une femme dont les parents avaient décrété qu'ils ne lui accorderaient la main que si leur famille, très ambitieuse, devenait l'héritière légitime du trône, sans contestation possible. Pour permettre à cette condition de se réaliser, Devravata, le fils du roi, avait généreusement juré sur sa vie de toujours rester célibataire. À partir de là, il était devenu célèbre sous le nom de Bhishma ; sa popularité et sa célébrité avaient pris leur essor. Des deux côtés – Pandava et Kaurava – de cette famille déchirée par la guerre, il était considéré comme le patriarche honoraire.

Une frayeur et une excitation palpables flottaient dans l'air torride estival de Kurukshetra, le « terrain des Kuru ». Tiré par des chevaux puissants, le char d'Arjuna se déplaçait à vive allure. Le véhicule était dirigé par un aurige qui fouette les animaux, tandis que le passager, appuyé contre un rebord intérieur, maniait les armes.

En qualité de commandant adjoint de l'armée Pandava, Arjuna avait sans doute vérifié son équipement une dernière fois avant le combat. Il était le troisième d'une famille de cinq frères, mais il avait beaucoup vieilli au cours des derniers mois. Une période d'une tension suffocante, pénible, au cours de laquelle les efforts répétés pour obtenir une solution diplomatique avaient été vains. Homme pacifiste par nature, il avait dû trouver insupportable l'orage qui frappait sur sa tribu. L'heure du bain de sang avait sonné. Les Pandava avaient levé une armée de petite taille, mais très bien exercée.

Cependant lorsque le véhicule tracté parvint en pleine vue des premiers rangs de la force occupante, Arjuna hurla à son aurige de tirer sur les rênes pour ralentir les chevaux. Le conducteur lui jeta un regard en arrière.

– Arrête-toi! ordonna Arjuna. Ne bouge pas pendant un moment.

Le chariot s'immobilisa, de même que ceux des soldats qui le suivaient directement. Pourquoi s'était-il arrêté? Je vois en pensée les soldats plus âgés, en proie à l'inquiétude, tirer sur la bride de leurs montures.

Je sens l'intensité de cet instant. Je suis persuadé qu'Arjuna, confronté à la plus rude bataille de sa vie, ne s'était jamais senti plus vivant tout en ayant la sensation d'être mort. Prêt à combattre jusqu'au bout, il devait avoir chaque centimètre de son corps gonflé d'adrénaline; dans de telles situations, on a presque l'impression de marcher sur l'air. En même temps, vu sa personnalité, je me demande s'il ne se sentait pas aussi d'un poids insupportable, comme si ses membres étaient de plomb. Qu'est-ce qui provoquait cet état désagréable? La crainte? La pleutrerie? La perspective qu'un grand nombre de ses hommes allait immanquablement perdre la vie?

Non. Il ne s'agissait de rien de tout cela. Il était triste pour ses ennemis, triste pour les siens. Il se rendait compte que rien n'est plus tragique qu'une guerre civile, un combat entre frères.

Les hommes, à cette époque, étaient bâtis pour être des guerriers. Les humains se rassemblaient en groupes tribaux, et il était rare de vivre une vie entière sans voir un membre de sa famille combattre au moins une fois contre une bande d'envahisseurs – ou, à l'inverse, être enrôlé pour jouer le rôle d'envahisseur, contraint de s'emparer des terres d'une autre tribu. Les batailles et les massacres ne présentaient rien d'anormal. Pour les hommes de cette époque, un combat mortel faisait en réalité partie d'une vie ordinaire.

Cependant, la guerre civile était une tout autre affaire. Et c'était l'idée de cette différence d'une importance capitale qui avait incité Arjuna à immobiliser son char. La guerre civile impliquait de tuer des membres de sa famille. Impliquait de tuer ses amis. Elle signifiait qu'une communauté, une famille, se retournait contre elle-même.

De cette distance, il distinguait à peine les visages des soldats ennemis sous leurs casques. Mais il n'avait pas besoin de les voir. Il les connaissait. Au cours des mois précédents de troubles, de tension grandissante et de rejets répétés de ses tentatives politiques de regagner le pouvoir, s'était étalé au grand jour le côté choisi par chacun.

Certains membres de sa famille, des amis et des compagnons s'étaient rangés du sien. D'autres avaient été enrôlés pour défendre l'occupant. Ils n'avaient pas eu leur mot à dire. Alignés devant lui se trouvaient des cousins auprès de qui il avait grandi, des camarades de jeux et des connaissances de l'ancienne cour royale, des professeurs également, qui lui avaient prodigué un enseignement chaleureux. Nombre de ses amis se tenaient en rangs, armés de leurs lances, prêts à le tuer. De nombreux inconnus aussi, des citoyens ordinaires, qui menaient une vie paisible avant ce combat, et qui avaient fait la seule chose qu'ils pouvaient faire : obligés de prendre les armes pour défendre leur ville, ils avaient obéi aux ordres. En récompense, ils allaient être taillés en pièces par lui ou par ses hommes.

Comment cela pouvait-il être juste ? En un éclair, Arjuna réalisa que la société humaine avait tendance à machiner des situations dont certains sortaient gagnants, alors que d'autres se retrouvaient inévitablement perdants. Les perdants devraient tout abandonner, vie comprise. Alors qu'il hésitait à l'orée du champ de bataille, il prit une conscience aiguë de l'humanité et de la fraternité de tous les humains. Ce sentiment le conduisit à faire une chose qu'un grand chef n'aurait jamais faite en des circonstances normales : il interrogea le conducteur de son char.

– Aurige, dis-moi, au nom de Dieu, ce que nous sommes en train de faire.

Il ne s'agissait peut-être que d'une question d'ordre purement rhétorique, mais la réponse ne le fut pas, car Arjuna avait fait exactement ce qu'il fallait. Le conducteur n'était pas un individu ordinaire. L'histoire nous rapporte qu'il s'agissait du seigneur Krishna. Et la conversation qui se tint entre Arjuna et son conducteur surnaturel à la lisière du champ de bataille s'est transformée en un classique de la littérature discursive, tout comme *Le Livre de Job*, un autre ouvrage dans lequel une situation inhabituelle déclenche un débat, long et analytique, sur la condition humaine.

ÊTRE ANIMÉ PAR DES PRINCIPES

Aujourd'hui, au XXIe siècle, nous comprenons parfaitement ce que réalisa Arjuna. Il s'agit d'une chose que les ouvrages sur la stratégie, la gestion et les affaires ont redécouverte récemment. Le principe selon lequel un groupe d'êtres humains, livrés à leurs propres expédients, organiseront entre eux des batailles brutales, à la vie à la mort, et feront couler le sang. Dans la guerre, du sang rouge sur le terrain de bataille ; dans les affaires, de l'encre rouge en bas du résultat financier. La victoire de l'un signifie la défaite de l'autre. La vie est un jeu à somme nulle. Il est impossible de gagner si quelqu'un d'autre ne perd pas.

Mais est-ce que cela doit toujours se passer de la sorte ? Dans quelle situation n'est-ce pas nécessaire ?

Arjuna posa ces questions il y a plusieurs millénaires, avant que le moindre auteur de livres d'affaires n'ait inventé la situation «gagnant-gagnant», et il fit des remarques qui demeurent valables de nos jours. Quand il y a des gagnants, doit-il y avoir aussi des perdants ? En quelles circonstances se battre est-il juste, et quand cela ne l'est-il pas ?

L'aurige qui aurait donc été Krishna lui prodigua des conseils emplis d'une sagesse d'un autre monde. Il spécifia un certain nombre de points dans les nombreux chapitres de l'histoire de la bataille d'Arjuna, un long poème écrit dans une langue superbe, connu sous le nom de *Bhagavad-Gîtâ*.

Comment devrions-nous interpréter la *Bhagavad-Gîtâ* ? Certainement pas comme une œuvre de journalisme. Il s'agit de la recréation littéraire, sans doute rédigée vers le IVe siècle av. J.-C., d'un épisode censé s'être déroulé un millénaire plus tôt. Je ne lui ai pas enlevé son sens mythologique, car elle est en général acceptée pour ce qu'elle est : non pas de l'histoire, mais une fiction poétique basée sur des individus et des faits réels. De plus, elle fait partie du grand texte sacré indien, le *Mahabharata*, mais elle n'en possède pas la même «atmosphère». La plupart des spécialistes pensent qu'elle y fut insérée plus tard. Techniquement, elle est considérée comme un texte *smriti*, placé au second rang dans les textes anciens. Les conseils qu'elle véhicule sont néanmoins d'une telle importance qu'elle a obtenu le statut de *shruti*, ou niveau le plus élevé, le plus divin, de «connaissance révélée». La *Gîtâ* est en effet devenue l'un des plus grands textes religieux de tous les temps.

Le Mahatma Gandhi déclarait : « La *Gîtâ* est la mère universelle. Je trouve dans la *Bhagavad-Gîtâ* une consolation que ne m'apporte même pas *Le Sermon sur la montagne*. Lorsque je suis en proie à la déception et que je n'entrevois pas un seul rai de lumière, je me replonge dans la

Bhagavad-Gîtâ. J'y trouve un vers ici et là, et un sourire me vient aux lèvres au beau milieu de tragédies accablantes – et mon existence a été emplie de tragédies extérieures. Si elles n'ont laissé sur moi aucune cicatrice visible ou indélébile, c'est entièrement grâce à l'enseignement de la *Bhagavad-Gîtâ.* »

Qu'apprit donc le soldat sur le champ de bataille ? Krishna commença par dire à Arjuna qu'il ne devait pas accorder trop d'importance à la mort. Ce n'était pas la mort qui comptait, mais la vie, et la manière dont elle était vécue. Et cette action, cette guerre, se rapportait entièrement au fait de vivre correctement, d'accomplir le geste juste. Elle concernait la façon de vivre, non de mourir, sur laquelle devait se concentrer un être humain.

Pour réaliser pleinement notre vie, déclara Krishna, nous devons apprendre à la vivre de manière éclairée. Nous devons nous débarrasser de notre moi mesquin et suivre les principes de la grande conscience. C'est seulement lorsque nous parvenons à transcender notre attachement au monde matériel que se présente à nous l'occasion de faire partie de l'infini. Il dit à Arjuna qu'il s'inquiétait au sujet des morts qui suivraient cette guerre, alors qu'il aurait dû songer à l'importance d'accomplir la chose équitable. En ces circonstances, l'attitude correcte à adopter était de se battre pour une cause qu'il estimait juste, même si cela impliquait la souffrance et la mort.

Il existera toujours une discorde entre la confusion générée par les sens humains et l'intuition sereine susceptible d'envahir une personne en harmonie avec l'unité cosmique, expliqua Krishna. D'où l'importance de la maîtrise de soi. La racine de la discorde, ainsi que d'autres formes de souffrance humaine, est l'agitation provoquée par le désir, moteur essentiel. On devrait au contraire étouffer les flammes du désir, en apaisant l'esprit. Acquérir de la discipline, se détacher permet d'avoir l'assurance de se concentrer sur son objectif et de prendre la bonne décision.

Anticipant les théories exprimées par saint Paul de Tarse dans *Le Nouveau Testament*, il expliqua que les actes de bonté n'étaient pas nécessaires pour obtenir le salut. L'être humain devait plutôt emprunter une autre voie et se donner entièrement à l'absolu, pour voir de la sorte ses péchés pardonnés. L'homme qui s'exprimait avec la voix de Dieu déclara : « En écartant tous les actes vertueux (*dharma*), abandonne-toi simplement à ma volonté. Je te libérerai de tous les péchés. » Cela ne signifie pas que vous ne devriez pas accomplir des gestes vertueux. La *Bhagavad-Gîtâ*, comme tous les autres textes présentés dans ce livre, souligne leur importance dans la vie de chacun. Mais on ne doit pas s'appuyer sur eux pour obtenir le salut. Il ne s'obtient qu'en soumettant son moi à Dieu ou au principe absolu.

Krishna incita le soldat à prendre conscience de l'importance d'accomplir le bien dans la vie, sans se préoccuper de la récompense éventuelle. Si l'on doit faire une chose parce qu'elle est juste, c'est une raison suffisante pour la faire. Les perspectives de profit personnel, ou toute idée des conséquences, ne devraient pas entrer en ligne de compte. Un homme qui donne de l'importance à chaque coup d'épée, qu'il combatte ou prépare une escarmouche, agira de son mieux. Mais s'il se concentre sur son objectif final – Gagnera-t-il la bataille ? Que se passera-t-il s'il perd le tournoi ? De toute façon, quelle est la récompense ? Vaut-elle le coup ? –, il est submergé par ses émotions et son esprit s'égare. Ses critères baissent, comme il baisse la garde.

« C'est une action donnée en elle-même qui devrait t'inciter à l'entreprendre, non les fruits de cette action », déclara le conducteur du char. Krishna incita Arjuna à se détacher de la victoire et de la défaite, car c'était l'unique moyen de parvenir à atteindre l'égalité d'humeur, ainsi que d'acquérir le pouvoir qui accompagne le véritable détachement. Il demanda au soldat de montrer de la circonspection à l'égard des émotions : « De l'attachement jaillit le désir, et du désir la colère, de la colère émane la stupéfaction, de la stupéfaction la perte de mémoire, de la perte de mémoire la destruction de la connaissance, et de la destruction de la connaissance... la mort. »

Arjuna écouta patiemment les messages qui lui étaient transmis, puis il comprit le principe essentiel auquel il devait se soumettre dans sa situation difficile : *tu dois t'occuper de ce que tu fais à présent, pas de ce qui en résultera*. Il ne devait pas se focaliser sur la fin, ni sur la question de savoir si la fin justifie les moyens, car les moyens se justifient ou non *en soi*. Si l'action qu'il entreprenait était le seul moyen vertueux de réagir dans cette situation, il n'avait pas le choix. Il devait accomplir l'acte juste. Les principes absolus étaient plus élevés que tout, sang compris, loyauté envers la famille comprise, mort même comprise. En temps de paix, il était mal de tuer. En temps de guerre, il arrivait que tuer fût la seule solution.

Arjuna prit sa décision. Il allait combattre.

Mais juste avant de lever son épée et de pousser le cri incitant ses hommes à livrer bataille, il entrevit un mouvement sur sa gauche. L'homme le plus âgé de son camp, son frère aîné, Yudhishthira, avançait seul. Et il se dépouillait de son armure.

LES LEÇONS DE LA GÎTÂ

Il faut avoir des nerfs d'acier pour réussir aujourd'hui en affaires. Charles Abbott, commentateur économique, écrit :

« Diriger une entreprise avec succès exige le même courage que celui d'un soldat qui part à la guerre. »

Il estime que le soldat de métier, comme le militaire gardien de la paix, finit par apporter un résultat positif dont, dans l'idéal, tout le monde devrait profiter. Mais examinons les leçons que nous pouvons tirer de la *Gîtâ* :

Le seul moyen d'obtenir une victoire complexe sur des fronts multiples consiste à se focaliser uniquement sur l'étape présente, car la vie n'est ni plus ni moins une série de maintenant.

Des accomplissements des autres, nous ne voyons que les résultats. Nous voyons J. K. Rowling en haut de la liste des best-sellers. Nous voyons Madonna en première place du palmarès. Nous voyons la chaîne de restaurants McDonald's de Ray Kroc se développer dans le monde. À la vue des réussites de membres de notre entourage, il est tout à fait naturel que nous pensions : j'aurais pu faire comme lui. Après tout, nous possédons tous une petite fibre commerciale, très développée même chez certains. À voir ces vedettes dans les pages glacées des magazines *people*, nous nous disons : je serais capable d'écrire un livre pour enfants. Je pourrais composer une chanson. Je pourrais ouvrir un restaurant. J'aurais pu être à sa place.

Effectivement, vous auriez probablement pu faire n'importe laquelle de ces trois choses, à condition d'en avoir eu le temps, l'énergie et la volonté. Une dizaine, une centaine, un millier, un million d'autres personnes auraient pu le faire aussi. L'acte grâce auquel il est possible de créer un produit ou un service est important, mais il n'est en aucun cas l'unique élément qui permet aux choses de se concrétiser, qui modifie le cours de nos vies, qui change le monde. De nombreux autres facteurs entrent en jeu. Lorsque nous essayons de parvenir à un certain niveau de succès dans notre vie personnelle ou professionnelle, nous devons penser à une multitude de choses. Par où commencer ?

GAGNANT OU PERDANT

Commençons par nous concentrer sur le moment présent, sur l'acte que nous accomplissons dans l'instant, dit la *Gîtâ*. Paul McCartney et John Lennon composaient des chansons au début des années 1960, époque d'une bouillonnante richesse créative, où chaque rue britannique contenait au moins une maison dans laquelle des jeunes gens chantaient tout ce qu'ils avaient sur le cœur en s'accompagnant à la guitare ou au piano. Lennon et McCartney étaient plus concentrés sur leur musique que les autres jeunes gens. Tous les soirs, ils se produisaient dans des clubs, de Liverpool à Hambourg. Ils chantaient déjà depuis deux ans quand ils remportèrent leur premier succès international. Projetaient-ils de devenir les musiciens pop les plus célèbres du monde ? Non. Ils se contentaient de faire leur travail, concert après concert : ils chantaient, jouaient et gagnaient leur vie. Mais ce faisant, ils développaient les voix et les talents de compositeurs qui allaient servir leur future notoriété. Cette dernière n'était cependant qu'un à-côté. Ils étaient focalisés sur *l'instant présent*. Ils passaient leurs journées à dresser des listes de chansons et à répéter celles qu'ils interpréteraient le soir. Lorsqu'ils donnèrent le concert qui retint l'attention d'un producteur de disques, ils ne savaient même pas que ce dernier se trouvait dans la salle.

Nous pouvons procéder à la même constatation pour nos autres exemples. Joanne Rowling n'essayait pas de créer un phénomène qui allait ébranler le monde de la littérature et du cinéma. Elle voulait écrire un bon roman qu'un éditeur publierait. Un point, c'est tout. Démunie financièrement, lestée du fardeau de mère célibataire, elle travailla dur. Le livre terminé, elle eut encore plus de mal à trouver un agent ou un éditeur. Nous sommes bombardés de nouvelles et de statistiques au sujet de son succès, des millions d'exemplaires qu'elle a vendus, de la fortune qu'elle a gagnée, et nous n'oublions que trop facilement que son roman a été refusé, non pas à une, mais à plusieurs reprises. Elle aurait très bien pu baisser les bras à un moment donné, remiser son roman sur une étagère où il aurait été oublié et aurait servi de pitance aux mites. Mais elle n'en fit rien. Aux deux instants capitaux de la naissance de ce phénomène, elle se focalisa sur l'instant présent. Pour commencer, son travail consistait à rédiger l'histoire qu'elle avait dans la tête, puis à faire accepter le roman terminé par un agent ou un éditeur digne de ce nom. Il était impossible à l'époque de prévoir la suite des événements – et cela vaut mieux. Si elle avait imaginé que ses romans allaient faire d'elle une des femmes les plus riches du monde, elle aurait probablement cru qu'elle devenait folle.

De la même manière, le colonel Sanders n'était pas obsédé par l'idée de faire de Kentucky Fried Chicken l'une des chaînes de restauration les plus populaires du monde. Il voulait simplement faire fonctionner la franchise la plus récente – et la suivante, et la suivante.

Comme Arjuna, des batailles nous attendent tous. Si vous êtes dans les affaires, vous devez vendre un produit ou un service. Vous devez vous emparer d'un marché. Vous avez des objectifs à atteindre. Des rendements à obtenir. La nature humaine étant ce qu'elle est, nous fixons notre regard sur ce but lointain et nous nous dirigeons aveuglément vers lui. Nous ressemblons au coureur de marathon qui ne voit rien d'autre que la ligne d'arrivée, mais pas les nids-de-poule sur la chaussée, les obstacles alentour, les concurrents qui nous bloquent le chemin, notre lacet qui se dénoue. Tous ces détails, à eux seuls, peuvent nous empêcher d'atteindre notre but.

Ne vivez pas dans l'avenir : tel est le message de la *Bhagavad-Gîtâ*. Si vous le faites, vous serez distrait et inquiet. Le bon marathonien s'applique à l'inverse à effectuer chaque foulée au bon moment. Il sait qu'il peut se tordre la cheville au moindre écart et être éliminé de la course. Il sait qu'il doit se concentrer sur chaque pas, et rien d'autre. Si vous vous concentrez uniquement sur votre but, vous risquez de ne pas accomplir correctement chaque geste qui vous y amènera ; au contraire, effectuez chaque étape correctement, l'une après l'autre, tout en surveillant la route qui s'étend devant vous et en respirant au bon rythme. Vous vous apercevrez qu'au 40 000e pas, vous avez atteint votre objectif.

Les principes absolus doivent être traités en tant que tels.
Si vous hésitez à leur propos, le sol se dérobera à jamais sous vos pieds.

Arjuna était un homme chargé d'accomplir une mission. La tâche que lui avaient confiée les dieux et sa communauté l'enflammait. Il devait lever une armée et renverser une puissante occupante. Il devait parvenir à remettre sur le trône le roi légitime, son frère aîné. Il devait gagner une guerre. Sa mission était claire. Cela faisait en effet des mois qu'il se concentrait dessus. Au fond de son cœur, il savait qu'il agissait correctement.

Pourtant, à présent qu'il s'y trouvait confronté, cette tâche présentait plusieurs aspects très dérangeants. Il s'agissait d'une guerre civile ; il détestait l'idée de rompre ses liens avec ses cousins, de se battre contre eux, de les tuer. Il savait que la guerre était l'événement le plus atroce susceptible de s'abattre sur les communautés humaines. Il n'arrivait pas à accepter qu'elle implique ses propres amis et sa famille. Et il connaissait personnellement beaucoup de ses adversaires, parmi lesquels figuraient ses anciens professeurs, dont l'un qu'il aimait particulièrement.

Au dernier moment, il voulut savoir si cette abomination pouvait être évitée. La guerre est un événement atroce. Ne fallait-il pas annuler cette bataille, trouver une autre solution ? Cette idée émanait d'un sentiment juste et noble, hormis le fait que toutes les autres solutions avaient déjà été tentées et avaient échoué. L'injustice faisait loi et quelqu'un devait y mettre un terme. Cette tâche lui incombait, il devait accomplir sa mission.

Nous pouvons tous nous identifier au dilemme d'Arjuna. Il nous arrive de devoir faire face à des situations où tout nous apparaît négatif. Nous nous sentons pris au piège ; nous avons l'impression qu'aucune voie n'est dégagée devant nous ; nous avons envie de rebrousser chemin à toutes jambes pour nous terrer quelque part.

Ce n'est jamais la bonne solution. La situation d'Arjuna me fait penser à une déclaration attribuée à Martin Luther King : *Péchez courageusement*. Il faut faire les choses en y mettant tout son cœur. La plupart du temps, nous savons faire la différence entre le bien et le mal. Ils sont en général très nets et distincts. Il nous arrive pourtant de nous trouver dans des situations où les choix et les issues sont flous. Parfois, nous sommes coincés dans un endroit où ils paraissent tous mauvais. Dans de telles situations, nous sommes tentés de tourner en rond, de chanceler et de ne rien faire du tout. Non, dit Martin Luther King : *Péchez courageusement.* Faites votre choix et allez de l'avant.

Le conducteur du char fait une déclaration identique dans la *Bhagavad-Gîtâ.* Si vous devez choisir entre différentes actions, vous optez pour ce qui doit être fait. Votre choix arrêté, vous le concrétisez. Ce que vous ne devez pas faire, c'est optez pour l'inaction. Nous avons tous travaillé avec des personnes qui, devant des décisions professionnelles difficiles à prendre, se contentent de les repousser, dans l'espoir qu'une solution se présentera plus tard d'elle-même. Mais les affaires ne fonctionnent pas comme cela. L'introduction d'un hiatus dérangeant, au moment où une action décisive se révèle nécessaire, ne vous rapproche pas de votre but : elle vous pétrifie sur place ou vous fait reculer. Il est juste de dire que le report est la forme la plus cruelle du refus. Si vous abordez quelqu'un dans le but de prendre une décision professionnelle, il ou elle doit juste vous répondre *oui* ou *non.* De nos jours pourtant, la réponse n'en est souvent pas une : on se contente de vous dire qu'une décision n'a pas encore été prise, mais qu'elle le sera en temps voulu.

J'ai travaillé pour une organisation caritative qui soupçonnait que son principal mécène, une banque importante, allait cesser de lui fournir des subsides. L'argent de ce commanditaire n'arrivait pas à temps dans les caisses de l'organisation. Quand les travailleurs voulurent savoir de quoi il retournait, on leur annonça qu'il n'y avait aucun problème et qu'ils devaient faire preuve de patience. Ils ne bougèrent pas pendant des mois, et ce fut uniquement à la fin de l'année financière que les directeurs de la banque trouvèrent le courage d'annoncer à cette organisation de bienfaisance qu'ils ne la financeraient pas cette année-là. Les banquiers étaient probablement animés de bonnes intentions. Une mauvaise nouvelle est toujours difficile à annoncer, par conséquent retardons-la, et nous verrons si quelque chose se produit. Le service de mécénat de la banque va peut-être changer d'avis ; du liquide va peut-être entrer ; de plus, nous sommes très occupés à l'heure actuelle, donc nous devons nous concentrer sur d'autres problèmes. Qui sait ce qui va arriver à long terme ?

En fait, ce qui se produisit, c'est que ce délai réduisit à zéro la période dont l'organisation caritative avait besoin pour trouver un autre commanditaire. Un *non*, annoncé poliment en temps voulu, aurait été beaucoup plus correct que la solution choisie par les banquiers. Il aurait permis aux collecteurs de fonds de repartir en quête de dons. Ils auraient disposé d'un temps beaucoup plus long pour trouver un commanditaire de remplacement, et leur action caritative n'en aurait pas pâti. Dans la pratique, l'organisation se retrouva sans liquide du commanditaire et avec très peu de temps pour en trouver un autre. Elle parvint à en dénicher un, mais toutes les personnes concernées apprirent à la dure qu'il vaut mieux dire *non* que dire *plus tard*.

La fin ne justifie jamais les moyens.

L'aurige sermonne Arjuna à propos des questions morales soulevées par la bataille. Le soldat s'inquiète de savoir si la fin justifie les moyens. Le but vaut-il le coup, dans la mesure où il signifie qu'il faut livrer bataille et que des membres de notre communauté doivent perdre la vie ? Krishna réplique que ce qui compte plus que tout, liens du sang compris, c'est de faire la chose juste. Les valeurs absolues doivent être traitées en tant que telles.

De nos jours, nous voyons des entreprises violer les lois de la justice naturelle. Elles ne connaissent que les statuts légaux. Elles emploient même des professionnels à temps plein pour trouver des moyens de contourner les arrêtés, en dépit du fait que les lois sont faites pour protéger les gens, pour empêcher les individus ou la communauté de pâtir. Ces dirigeants ignorent tout – ou se moquent – de la justice naturelle, alors qu'il s'agit de l'une des fibres les plus profondes de l'âme humaine. Actuellement, les gens sont hostiles aux « valeurs absolues ». Ils associent les idées de bien et de mal à la religion, au dogme, au manque de tolérance. En réalité, le concept de « valeurs absolues » est ancré bien plus profondément que le dogme. Les religieux ne l'ont pas inventé. C'est une part naturelle de notre constitution.

Quiconque passe du temps en compagnie d'enfants sait qu'à intervalles réguliers, un enfant va se disputer avec un autre et se précipiter ensuite vers l'adulte qui s'occupe d'eux, les yeux brillant de rage, pour lui déclarer : « C'est pas juste ! » Nous sentons intuitivement ce qui est juste et ce qui ne l'est pas. Cette connaissance émane du plus profond de notre être. Les enfants n'ont pas besoin de consulter des avocats : lorsqu'ils prennent conscience d'eux-mêmes et de leur entourage, ils développent naturellement un fort sentiment de justice. Ils savent ce qui est bien et ce qui est mal. Cette conscience est l'une des briques de construction les plus importantes et les plus riches de notre personnalité.

Quelque part sur le chemin de la vie adulte, beaucoup d'entre nous perdent cette faculté. Lorsque nous entrons dans de grandes entreprises, nous sommes capables d'adopter la direction tout à fait opposée. L'une des caractéristiques les plus terrifiantes de la société moderne est le recrutement par de nombreuses boîtes de comptables et de spécialistes des impôts dont le seul rôle consiste à trouver des failles dans la loi. Elles ne l'admettront pas, mais elles le font sciemment.

Plutôt que de diriger leurs entreprises avec le sens de la justice, les gens le font en se situant à la frange extrême des limites prescrites par la loi : ils s'arrangent pour donner le minimum ; ils empiètent le plus possible sur la ligne, puis ils emploient des avocats pour chercher les failles qui les aideront à la franchir en toute sécurité. Quand ils se font prendre parce qu'ils sont allés trop loin, ils ne présentent pas d'excuses. En l'occurrence, ils publient une déclaration précisant que même s'ils versent une compensation, ils ne s'estiment absolument pas responsables.

Lorsque la plupart des entreprises étaient familiales, elles étaient régies par les lois de la justice naturelle. Si vous vous fournissiez en vivres au petit commerce du coin, ni l'acheteur ni le vendeur ne se hasardait à violer les droits de l'autre. Comment cela aurait-il été possible, puisqu'ils devaient vivre à proximité l'un de l'autre jusqu'à la fin de leurs jours ?

Aujourd'hui, les choses sont différentes. Les produits et les services sont fournis par des sociétés sans visage à des clients qu'elles ne voient jamais. Du coup, la morale des affaires a changé. La question principale que se posent les gens d'affaires est la suivante : de quoi puis-je me servir ? Motivés par leur allégeance à l'égard de leurs actionnaires au lieu de leurs clients, ils ne se soucient ni de valeur ni de loyauté. Cet abandon des lois de la justice naturelle en faveur des « valeurs » instituées par les manœuvres légales constitue l'un des développements dramatiques de la société moderne. La justice et la loi ont grandi comme des jumeaux. Aujourd'hui, ces concepts ne sont pas seulement devenus étrangers l'un à l'autre, ils sont trop souvent des ennemis qui se battent l'un contre l'autre.

À l'inverse, nous pouvons observer des gens d'affaires comme J. R. D. Tata, qui a dirigé le groupe industriel Tata en Inde pendant de nombreuses années. Il était réputé pour ses critères moraux. Il perdit beaucoup de contrats en refusant d'acheter les hommes politiques avec des pots-de-vin, beaucoup de liquide en interdisant son entreprise d'avoir recours au marché noir. En définitive pourtant, Tata se tailla une réputation de confiance sur le plan international et devint l'une des marques générales les plus connues de l'Inde.

LIVRER BATAILLE

Nous voici de retour dans la plaine de Kuru. La guerre est sur le point de commencer. L'armée des Kaurava se tient à l'est et celle des Pandava, à l'ouest. Des centaines de milliers d'hommes se préparent à mourir.

Arjuna et ses soldats voient s'avancer le fils aîné du clan Pandava, Yudhishthira. Va-t-il entamer le combat seul ? Non, il laisse tomber ses armes en marchant. Il se débarrasse de son épée, de sa lance et de son bouclier et il défait son casque sans s'arrêter de marcher. Ses hommes doivent en rester abasourdis.

De l'autre côté du terrain, l'attente du début du combat doit hérisser les soldats kaurava que cet événement inattendu ne peut que prendre de court. Ils le regardent enlever son plastron. Comment pourrait-il viser de leurs lances cet homme qui s'approche d'eux, poitrine nue ?

Yudhishthira fut l'un des héros les plus pétris de défauts de l'histoire indienne. C'est lui qui avait tout perdu en jouant aux dés : son royaume, ses biens et même son épouse, Draupadi. Selon l'histoire populaire, lui et sa famille subirent une humiliation complète quand son adversaire, un parent dénommé Shakuni, essaya de la posséder sur-le-champ, en la dépouillant de ses vêtements dans la salle de jeux, devant tout le monde. Le sage et juste Bhishma le Célibataire, le Grand-Père, figurait parmi ceux qui s'élevèrent contre cet outrage. Et le vieil aveugle, Dhritarashtra, reconnut que de tels incidents ne pouvaient que causer de grands torts au peuple. Il donna l'ordre d'annuler les pertes de Yudhishthira.

Shakuni s'était cependant rendu compte que Yudhishthira était drogué au jeu. Il lui proposa un dernier lancer qui lui donnerait l'occasion de regagner tout ce qu'il avait perdu et plus – ou d'être exilé pendant quatorze ans. Incapable de résister, Yudhishthira accepta et perdit tout. Les Kaurava s'emparèrent de la cité de Hastinapura et Dhritarashtra monta sur le trône. Désormais, ils ne voulaient pas le céder.

Mais la bataille pour la suprématie était sur le point de débuter, et que fit Yudhishthira ? Il franchit d'un pas régulier et serein la brèche entre les deux armées, sans ralentir en atteignant la première rangée de guerriers kaurava. S'approcher de l'armée ennemie désarmé est de toute évidence un acte courageux, si bien que les soldats s'écartèrent pour le laisser passer. L'armée kaurava était composée de dix divisions disposées de la manière suivante : lignes de fantassins précédant les éléphants, cavalerie sur les deux ailes et chefs à l'arrière. Le commandant en second de l'armée kaurava souhaitait manifestement s'adresser au commandement ennemi. S'agissait-il d'une forme de reddition ou d'une dernière tentative diplomatique d'éviter la guerre ?

En fait, ni l'un ni l'autre. Le général Bhishma fit signe à ses hommes de laisser Yudhishthira s'approcher de lui. Le jeune homme tendit la main au patriarche et se laissa tomber à genoux, la tête inclinée.

– Grand sire, déclara-t-il, je suis votre enfant. Je ne peux pas aller à la bataille sans votre bénédiction.

Bhishma sourit :

– Dans ce cas, je te la donne, répondit-il.

Le vieil homme prononça une invocation afin que fût rempli le destin de Yudhishthira. Le silence qui régnait sur le champ de bataille n'était rompu que par la voix du Grand-Père qui s'élevait vers les cieux.

Sur ce, le commandant en second de l'armée pandava se releva et regagna tranquillement, sans avoir été molesté, ses propres rangs. Il ramassa son armure, son épée et son bouclier, les remit et lança le cri de guerre.

Les combats débutèrent.

Ils firent rage pendant dix-huit jours et furent marqués par des pertes massives dans les deux camps, même si elles ne se comptèrent pas en « millions », comme le rapportent les vieux récits. De nombreux moments poignants les ponctuèrent, quand s'affrontaient familles et amis.

L'un des plus mémorables fut la mort de Bhishma, bien-aimé des deux camps. On en était au dixième jour de la bataille. Les Kaurava, sous son commandement habile, avaient commencé par l'emporter, mais les Pandava s'étaient repris ; un équilibre s'était installé, les camps ennemis perdant chacun des hommes à un rythme régulier. Le nombre des morts augmentait vite et le spectacle était déchirant.

Arjuna fut saisi de l'envie désespérée d'arrêter les combats et décida que le seul moyen d'y parvenir était de tuer Bhishma, le vieillard qu'il aimait. Il sentait que la perte du patriarche, malgré son côté tragique, découragerait tellement l'adversaire que les Pandava pourraient prendre le dessus et sortir vainqueurs dans la journée. Il élabora un plan peu commun. Bhishma entretenait une relation étrange avec l'un des soldats d'Arjuna, un certain Shikhandi. Le vieil homme s'était persuadé que Shikhandi était la réincarnation d'une vieille femme, morte après l'avoir maudit. (Bhishma avait vaincu le prétendant de cette femme dans une bataille. Le vaincu l'avait alors cédée au vieux guerrier, lequel, du fait de son vœu de célibat, l'avait refusée. Comme elle était une femme répudiée, aucun autre homme n'en avait voulu.) Arjuna prit la décision d'envoyer Shikhandi affronter Bhishma, curieux de voir la réaction du vieil homme.

Quand l'aube se leva sur le terrain de bataille ensanglanté (les deux armées s'étaient mises d'accord pour ne pas combattre entre le crépuscule et le lever du soleil), Shikhandi fut envoyé en direction du char de Bhishma, suivi de près par Arjuna. Reconnaissant Shikhandi, Bhishma abaissa son arc. Il refusait de tirer sur lui. Aux yeux du vieux général, Shikhandi était une femme, même si elle avait été réincarnée sous le sexe opposé, et il était formellement défendu par la loi d'utiliser la moindre arme contre une femme.

Profitant de la confusion du vieillard, Shikhandi et Arjuna criblèrent son corps de flèches. Le vieux général tomba en avant, mais il ne toucha pas le sol, car la quantité de flèches fichées dans son torse le maintint en suspension au-dessus.

L'objectif suivant des Pandava était Drona, un guerrier redoutable, responsable de la mort de dizaines de leurs soldats. Cet homme très fort n'avait qu'une faiblesse : l'amour qu'il portait à son fils, Ashwathama, qui combattait aussi.

— Dis à Drona que son fils est mort… Il sera tellement désarmé que nous aurons facilement le dessus sur lui, déclara l'un des frères pandava à son aîné, Yudhishthira.

— Mais je ne peux pas mentir, répondit ce dernier.

Yudhishthira, pour se faire pardonner ses péchés, avait fait le vœu de ne jamais mentir – vœu presque aussi célèbre dans les deux camps que celui de célibat du vieux Bhishma.

— Je sais, répondit le cadet, avant de faire avancer un éléphant nommé Ashwathama, dont il perça le cœur.

L'éléphant s'effondra à genoux avant de rouler sur le flanc, mort.

— Ashwathama est mort, déclara le cadet.

Au cours du combat suivant, ce frère, qui s'appelait Bhima, hurla à Drona que son fils était mort. Au courant des méthodes sournoises des combattants, Drona refusa de le croire. Il hurla à Yudhishthira :

— C'est vrai ? Mon fils est mort ?

Drona savait que Yudhishthira ne pouvait que répondre la vérité.

— Ashwathama est mort, il est mort, répéta ce dernier d'un ton circonspect, avant d'ajouter posément, car il était incapable de tromper personne : Ashwathama, *l'éléphant…*

Drona, momentanément décontenancé, abaissa son épée… et les Pandava en profitèrent pour le tuer.

Au bout de dix-huit jours de guerre, les Pandava triomphèrent, mais au prix de lourdes pertes des deux côtés. Ni Arjuna ni Yudhish-thira ne célébrèrent leur victoire. Tous les deux avaient perdu leurs fils. Les craintes que nourrissait Arjuna semblaient fondées : la destruction de tant de membres de la famille avait été un désastre.

Mais les gagnants devaient réclamer leur dû et ils marchèrent sur la ville. Yudhishthira fut couronné roi de Hastinapura en plus de roi d'Indraprastha, la cité que les Pandava avaient construite en exil. Yudhishthira décida de restituer immédiatement le trône de Hastinapura à l'homme auquel il l'avait pris : il fut donc rendu au vieil aveugle, Dhritarashtra. Yudhishthira déclara qu'il avait voulu rendre son honneur à sa famille, ce que la victoire lui avait permis. La guerre n'était pas plus une question de territoire que de pouvoir, mais de principe.

Un cheval sauvage fut relâché et laissé libre de gambader pendant un an. Arjuna et un contingent de soldats le suivirent cérémonieuse-ment, après avoir décrété que les frontières du royaume seraient fixées par le chemin qu'emprunterait l'animal.

Les mois passant, l'Inde connut une nouvelle époque de paix et d'abondance. Arjuna comprit enfin pourquoi cette guerre tragique avait été nécessaire.

LE BUT NE SE SITUE PAS OÙ VOUS L'IMAGINEZ

Siddhartha Gautama fait l'expérience de l'immense richesse ainsi que de l'extrême dénuement et il décide qu'il s'agit de deux dieux trompeurs. Il découvre que le véritable accomplissement se situe ailleurs.

LA VIE DE CE GARÇON

La nourrice éternua. Le garçonnet poussa un hurlement et prit ses jambes à son cou. Je les vois se précipiter dans les couloirs du bâtiment, la nourrice encore plus affolée que l'enfant. Vu le rang de ce dernier, elle n'avait probablement pas le droit de l'appeler par son prénom. Mais les métiers et leurs tâches entraînent inévitablement leur propre langage, et nous pouvons imaginer qu'elle l'interpella par un surnom.

Le sol des grandes demeures de l'époque était probablement dallé de pierres irrégulières, rendant la course un peu dangereuse : une erreur de pas d'un demi-centimètre, on se prend le pied dans le bord d'une dalle, on perd l'équilibre et on tombe à plat ventre. J'ignore combien de fois il trébucha, ou elle trébucha, si elle finit par le rejoindre ou s'il courut plus vite qu'elle. De toute façon, elle parvint sans doute à lui demander ce qui l'avait ainsi apeuré. J'ai l'impression que dans le fond, elle le savait déjà.

L'histoire de Siddhartha Gautama, fils du chef du clan Sakya de Kapilavastu, lieu qui se situe aujourd'hui sur la frontière indo-népalaise, est l'une des plus connues que nous aborderons dans ce livre. Cela ne l'empêche pas d'être l'une des plus difficiles à raconter. Pour demeurer dans le ton que nous avons adopté, nous l'étudierons sans passion (une expression qu'il aurait beaucoup appréciée) et analyserons les légendes d'un point de vue d'historien. Un travail conséquent, nécessitant un usage important du crayon rouge.

Cette histoire a été narrée des milliers de fois, dans des livres d'enfants, dans des ouvrages religieux, dans des dessins animés, et même dans des films hollywoodiens tels que *Little Buddha*. L'historien ne peut la raconter sans en enlever les couches d'enjolivements. Cet exercice présente des difficultés, mais il mérite d'être accompli. Sous la version de conte de fées de la vie de Siddhartha se cache l'histoire fascinante d'un véritable être humain de chair et de sang, auteur d'un accomplissement remarquable qu'il transmit au monde. Le parcours de cet homme privilégié, qui se départit de sa richesse pour soulever des questions et parvenir à des conclusions qui le placèrent au premier rang des humains les plus influents ayant jamais vécu, est inspirant.

Une autre raison nous pousse à nous pencher de nouveau sur ce récit si souvent raconté : remettre les pendules à l'heure. Son histoire, en même temps qu'elle est embellie, est souvent tellement simplifiée qu'elle en devient trompeuse. En Occident, il est considéré comme l'exemple même de l'ascète, dépeint assis les yeux clos sous un arbre, sans autre possession que le pagne qui ceint ses reins. Pourtant, il n'était pas ascète. En fait, il rejeta une existence ascétique aussi fermement qu'il rejeta une vie luxueuse. Mais n'allons pas trop vite. Nous devons commencer par le commencement.

Il existe suffisamment de sources et de traditions pour nous permettre d'identifier, avec un degré raisonnable de certitude, certains faits essentiels concernant la vie de l'homme qui allait devenir connu, en sanskrit, sous le qualificatif de Bouddha. Ses disciples nous rapportent seulement qu'il naquit pendant la pleine lune du sixième des mois lunaires. L'année exacte de sa naissance fait l'objet de maints débats parmi les érudits. Selon la tradition, il est né aux environs de l'an 500 av. J.-C., mais des études plus récentes établissent une date un peu antérieure, vers 450 av. J.-C.

Son père, dénommé Shuddhodana, était le chef d'un clan-nation connu sous le nom de Sakya, limitrophe d'un État plus puissant, le Kosala. Dans les contes de fées, il naquit prince, dans un palais d'un grand royaume. En réalité, Kapilavastu ne fut jamais une grande cité. C'était une ville dont le dirigeant était élu. Nous pouvons donc estimer que Shuddhodana était plutôt un maire ou un général qu'un prince. Il appartenait à la caste des guerriers. Selon toutes les sources, la mère de Siddhartha mourut en couches ou peu de temps après. Comme son père avait plusieurs épouses, l'orphelin ne manqua cependant pas d'affection maternelle. Il fut élevé par une belle-mère appelée Mayadevi ou Mahaprajapati, censée être une parente de sa mère (sa sœur, peut-être).

L'événement qui forgea la vie de Siddhartha et lui permit de découvrir des vérités qui allaient exercer une influence sur la pensée humaine se produisit tôt et de façon complètement indépendante de sa volonté. Il s'agit d'un conflit d'idées entre son père et un visionnaire du nom d'Asita. Selon la coutume, le saint homme, prié de prendre la parole au cours de la célébration de la naissance du bébé, prédit que ce nouveau fils deviendrait un grand homme. Mais que faut-il pour devenir un grand homme ? Asita, pour des raisons connues seulement de lui-même, déclara pompeusement que la grandeur de Siddhartha se manifesterait de l'une des deux façons suivantes : soit il serait un chef puissant, soit il serait un saint homme important. Il sous-entendait qu'être les deux à la fois était incompatible.

Shuddhodana se serait beaucoup inquiété de cette déclaration. Son fils allait peut-être devenir un saint homme ? En Inde, les saints hommes étaient respectés, mais ils n'avaient aucun pouvoir. L'expression « saint homme » s'appliquait le plus souvent à des moines ou à des ascètes ambulants appelés *sadhus*, des individus qui ne possédaient rien et qui, aux yeux de certains, ne jouissaient pas de toute leur santé mentale. On croyait alors, tout comme aujourd'hui, et pas seulement en Inde, qu'il n'existe qu'une ligne des plus minces entre le génie mystique et la folie. Dans la plus grande partie du monde, cette idée ne fait l'objet que de vagues discussions, mais en Inde, elle se traduit concrètement dans nombre de lieux. Des *sadhus* émaciés, l'air dérangé, déambulent à la frange de la société, uniquement recouverts de cendres et de colifichets. Pourtant, leur confusion mentale est souvent considérée comme le facteur qui donne de la valeur à leurs déclarations et à leurs prophéties.

Nous apprenons que Shuddhodana prit cette prédiction au sérieux. Il y vit une menace ou, à tout le moins, un avertissement sévère. Il décida de prendre le contrôle du destin de l'enfant. Son fils deviendrait un chef ; en aucune circonstance, il ne serait autorisé à être un saint homme. Shuddhodana instaura une liste stricte de règlements domestiques, destinés à protéger le bébé contre « l'horreur » qui risquait de lui tomber dessus. L'enfant devait être mis à l'abri de tout ce qui pouvait l'inciter à se poser de grandes questions à propos de la vie, de l'existence de Dieu ou des dieux, de la souffrance ou de la mort, de la prière ou des rituels, de la morale ou de l'éthique. Devait lui être épargnée la tension émotionnelle produite par les tentatives d'aborder ces questions, du fait qu'il était tenu dans l'ignorance de leur existence. Il grandirait en meneur d'hommes dès le début de sa vie. La fortune et le pouvoir, les privilèges et le luxe : il ne devait rien connaître d'autre.

Il est impossible de prouver si les choses se passèrent véritablement comme la légende les rapporte. La biographie du fondateur du bouddhisme ne provient pas d'un ensemble d'ouvrages identiques aux évangiles chrétiens, emplis de noms et de dates et qui semblent être le fruit de personnes ayant assisté aux événements ou ayant pu, tout au moins, s'entretenir avec des témoins oculaires. Le poème épique d'Ashvagosha fut rédigé au moins un demi-millénaire après la naissance de Siddartha et s'appuie très probablement sur des anecdotes transmises au fil des générations.

Cela ne leur enlève pas leur authenticité éventuelle. Il fit néanmoins appel à son imagination poétique et lyrique et brossa de l'enfant le portrait d'un être divin, déjà capable de marcher et de prêcher quelques minutes après sa naissance. « Les montagnes de l'Himalaya tremblaient et les fleurs de lotus tombaient d'un ciel sans nuages » tandis que le bébé déambulait en parlant. Le texte est agréable à lire, mais il transforme malheureusement Siddhartha en énigme divine qui crache de la poésie. Nous disposons pourtant de maintes preuves historiques permettant d'affirmer qu'il était un vrai être humain de chair et de sang, qui se transforma en adulte animé par un désir tout-puissant d'atteindre une plénitude non matérielle. Cela suggère qu'au moins, la partie de l'histoire concernant Asita était vraie. Il avait sans doute entrepris cette quête parce qu'on lui avait refusé la possibilité d'étudier ces problèmes durant son enfance.

LA SIGNIFICATION DE LA PROTECTION

Nous voyons donc Siddhartha mener une existence privilégiée. À quoi pouvait-elle ressembler ? Comment cette couche de protection épaisse forgea-t-elle la personnalité de l'enfant ? Il est difficile d'entendre cette histoire sans se demander comment un enfant vivant dans le confort matériel et dont tous les besoins et désirs étaient immédiatement satisfaits a pu devenir un adulte d'une telle moralité, d'une telle prévenance et d'un tel antimatérialisme. Dans d'autres situations, les gens qui grandissent dans l'opulence et voient tous leurs caprices satisfaits souffrent de problèmes personnels. Pensez à l'empereur romain Caligula, par exemple, ou au chanteur excentrique, Michael Jackson. Quelqu'un a dit sagement qu'il fallait faire attention à ce qu'on demandait, car on risquait de se le voir accorder. Comment fit donc le petit Siddhartha, l'enfant le plus protégé du monde, pour ne pas devenir un monstre hédoniste ?

Peut-être le devint-il dans une certaine mesure. Ou alors, les choses sont plus compliquées. Quand on étudie de plus près l'édit de Shuddhodana et qu'on envisage les difficultés pratiques que présente sa mise en œuvre, on voit de façon un peu plus nette la réponse à cette question. L'édit du père ne put être suivi de façon sérieuse sans provoquer une série de répercussions ; répercussions qui eurent sans nul doute un effet énorme, voire traumatisant, sur la vie d'un enfant.

Par décret, ce dernier n'était pas autorisé à jamais croiser la maladie. Cela signifiait donc que toute personne proche de lui souffrant de n'importe quel mal physique – un domestique attrapant un virus par exemple – devait être renvoyée et ne plus jamais réapparaître. Les parents qui connaissaient une forme de décrépitude, qui devenaient fragiles et handicapés étaient immédiatement chassés de la maison. Les compagnons d'enfance qui se blessaient – un camarade de classe, par exemple, qui perdait un doigt dans un accident ou se cassait une jambe – disparaissaient de la circulation. Comment donc, quand une personne pour qui Siddhartha éprouvait de l'affection, comme sa nourrice, par exemple, éternuait, l'enfant n'aurait-il pas été terrorisé à l'idée qu'elle allait disparaître, comme avaient disparu tous les autres malades autour de lui ?

Les esprits enfantins sont à certains égards plus sensibles que ceux des adultes. Les tentatives de mettre en pratique l'édit de Shuddhodana ne créèrent peut-être donc pas un monstre à l'image de Caligula, mais un petit garçon aux idées confuses, timoré, qui ne cessait de recevoir des biens matériels dont il n'avait nul besoin, alors qu'il perdait constamment, dans les circonstances les plus déroutantes, ceux dont il avait vraiment besoin : protecteurs, amis et parents.

Sans compter le problème de sa mère, qui mourut à sa naissance, ou juste après. Comme cet enfant n'avait pas le droit de savoir quoi que ce soit sur la mort, que lui raconta-t-on sur sa mère ? Il se demandait sûrement pourquoi les autres enfants étaient dorlotés par leur mère alors que lui n'en avait pas. Il ne parvint pas à découvrir pourquoi elle n'était plus à ses côtés. Mahaprajapati le traitait sans doute affectueusement, mais rien ne nous permet de croire qu'elle prétendait être sa mère au lieu de sa tante.

En outre, songez à cet élément de l'édit de Shuddhodana : il ne devait pas voir la souffrance à l'extérieur des murs de la maison. Il vivait sans doute dans la plus luxueuse demeure du clan Sakya, mais il s'agissait néanmoins d'une époque rudimentaire. Les palais que nous présentent les versions filmées et télévisées de sa vie ne sont que de pures inventions. Kapilavastu n'était pas une cité grandiose. Juste une bourgade, peut-être à peine plus développée qu'un point de ravitaillement entre les villes plus grandes de l'Inde et de ce qui est aujourd'hui le Népal. La maison du chef apparaîtrait humble à nos yeux contemporains. À ceux de Siddhartha, elle devait en plus être désagréable, si ses portes en demeuraient fermées pour l'empêcher de sortir. Ce garçon ne put qu'être affecté par l'interdiction de quitter le logis en aucune circonstance. Indépendamment de la grandeur de son jardin, il s'interrogeait sans doute sur le monde extérieur. Comme il vivait près de la frontière du Népal, des cimes magnifiques de l'Himalaya ne pouvaient que lui apparaître suspendues dans le ciel à l'horizon. Que devait-il penser, confiné de force entre quatre murs, pendant que tout le monde, autour de lui, avait l'autorisation d'entrer dans la maison et d'en sortir ? Un palais peut se transformer en geôle. Ce n'est pas la présence de barreaux qui fait une prison, mais l'absence de liberté.

Selon la tradition, il aurait vécu jusqu'à l'âge adulte à l'abri dans ce cocon protecteur. À seize ans, il épousa une princesse, Yashodhara, et devint vite père. Ce ne fut qu'à l'approche de la trentaine que sa vie évolua.

Je trouve logique qu'il ait fait une fixation sur les grandes questions de la vie pour la bonne raison qu'il n'était pas autorisé à les poser. Tout changea lorsqu'il eut vingt-neuf ans. Il quitta alors sa maison. Dans la version de conte de fées, il sort pour la première fois à cheval de la ville et découvre une multitude de choses qui le perturbent. Nul besoin d'être psychologue pour comprendre que cela dut provoquer chez lui une espèce de traumatisme. Les gens qui ne sortent pas d'un bâtiment pendant de nombreuses années ont tendance à souffrir d'agoraphobie. Bien qu'on la définisse souvent à tort comme la peur des espaces ouverts, il s'agit en fait de crises d'angoisse incontrôlables qui s'emparent d'un individu ayant eu très peu d'occasions de quitter un espace clos, lorsqu'il sort de cet espace.

S'il avait vraiment vécu dans un cocon depuis toujours, quitter sa maison et découvrir le monde fut obligatoirement une expérience atroce. Pensez simplement aux spectacles qui s'offrirent au regard de cet homme hyper protégé : des mendiants, des malades et des moribonds. La ville, comme n'importe quelle autre ville, devait contenir un certain nombre de handicapés. Certains étaient sans doute amputés, d'autres avaient des parties de leur corps rongées par des agents pathogènes. Les rues devaient grouiller de pauvres hères menant une vie misérable. Des gens, le cœur brisé, devaient gémir sur la mort de leurs proches. Il vit sûrement des cadavres sur le point d'être incinérés ou enterrés. Et n'oublions pas les ascètes au corps squelettique et aux yeux déments.

Plutôt que de pénétrer à cheval au milieu de la foule, le visage empreint d'une noble inquiétude, comme le montre la version hollywoodienne, il dut probablement prendre ses jambes à son cou pour retrouver son havre de sécurité et remercier profusément son père de l'avoir protégé des horreurs de la vie. Personnellement, je vois un Siddhartha terrorisé, agoraphobe, essayer d'occulter les abominations qu'il vient de découvrir et reprendre son mode de vie confortable, libéré de la douleur, matérialiste, entre les murs de la maison du chef guerrier. Après avoir remercié son père de l'avoir enfermé dedans, le jeune homme s'enterra sans doute de nouveau dans les pièges de la fortune.

Il est toutefois impossible de remettre un génie dans une bouteille, impossible de redonner forme à un œuf brouillé, impossible d'effacer un spectacle qu'on a vu de ses propres yeux. Quand Siddhartha apprit que les humains, à l'extérieur de son petit monde sécurisant, menaient des vies marquées par la souffrance, la maladie et la mort, il ne parvint plus à extraire leur peine de son cœur, d'autant qu'il était modelé pour devenir un chef guerrier à l'image de son père. Cette découverte lui permit sans doute d'établir un lien avec les épisodes déconcertants de son enfance, au cours desquels les êtres qu'il aimait et qui tombaient malades se contentaient de disparaître.

Demeurait en outre le mystère de la disparition de sa mère. Quelque chose d'épouvantable avait dû lui arriver : la maladie, la souffrance, la mort ?

La plupart de mes lecteurs connaissent déjà probablement le concept souvent qualifié de « culpabilité de la classe moyenne ». Nous avons de quoi nous nourrir et un toit sur nos têtes, mais nous nous sentons coupables à la pensée que de nombreux êtres humains en sont privés. Siddhartha éprouva sûrement un sentiment de ce genre, mais sur un plan plus général, et avec davantage de violence. Au fur et à mesure que nous grandissons et prenons conscience de la désolation du monde qui nous entoure, nous luttons contre cette prise de conscience, étape par étape. Pour sa part, Siddhartha, du fait de l'édit de son père, passa brusquement d'une réalité à une autre. Il n'eut pas l'occasion de faire face à la souffrance.

En général, nous nous rendons compte, petit à petit, de la douleur et de l'injustice qui règnent en ce monde et nous trouvons un moyen de lutter contre : certains d'entre nous œuvrent dans des organismes de charité pendant leur temps libre, d'autres s'occupent de soupes populaires, se lancent en politique ou aident les démunis. Siddhartha fut pour sa part devant cette alternative : rester à l'abri dans la vie de luxe que lui avait organisée sa famille ou entrer dans le monde véritable, où règnent douleur et souffrance.

Il renonça à sa vie opulente. Il tourna le dos à la tentation de regagner à jamais son cocon douillet, malgré toute la séduction qu'il présentait. Il sortit de sa coquille et abandonna tout ce qu'il connaissait. Il était décidé à comprendre les différents aspects de la vie et à trouver des réponses aux questions dont il ignorait jusqu'à l'existence. Peut-être pensat-il que s'il trouvait les réponses pour lui-même, il pourrait aider les autres. Ou alors ses motivations étaient d'ordre purement égoïste, basées sur le besoin de résoudre les contradictions qui le déchiraient.

Je ne m'attarderai pas sur toutes ses aventures et découvertes, même si je recommande fortement à ceux qui s'intéressent un peu à sa vie de lire des ouvrages consacrés à cet homme remarquable. De sources différentes, nous savons qu'il se rendit dans les grandes cités, villes lumière de son époque : Sravasti, Vaisali et Rajagriha, l'enceinte royale de la région du Maghada. En ce dernier lieu, il rencontra le roi. À cette époque antérieure aux Nanda et aux Maurya, le palais était occupé par un certain Bimbisara. Il semblerait que ce roi poussa Siddhartha à retourner chez lui et à reprendre l'existence correspondant à sa caste : il était censé être un *kshatriya*, un guerrier. Le roi lui proposa même de lui offrir ce dont il avait besoin pour s'installer : s'agissait-il d'argent ? De soldats supplémentaires ? Siddhartha déclina poliment sa proposition. Le roi ne l'avait de toute évidence pas compris. C'était autre chose qu'il cherchait.

Des réponses. Mais avant tout, une question.

Quelle question ? De quoi avait-il véritablement besoin ? Les choses finirent par se préciser. Le destin avait modelé de telle sorte la vie de Siddhartha, fils de Shuddhodana du clan Sakya, qu'il se retrouva confronté à la plus grande question qui se pose à l'humanité : *Comment doit vivre un homme ?*

À vingt-neuf ans, Siddhartha quitta le palais du roi du Maghada et partit à travers le monde les mains vides, avec uniquement cette question en tête. Comme les possessions matérielles et la famille ne lui avaient pas fourni de réponses mais n'avaient fait qu'obscurcir sa question, il se débarrassa des deux.

Il chercha d'abord la réponse auprès des ascètes : les moines. Comment doit vivre un homme ? Certainement pas en se vautrant dans l'opulence. Il devait exister un autre moyen. Les moines allaient peut-être l'éclairer, puisqu'ils étaient les meilleurs représentants de ceux qui ne respectaient ni l'argent ni les maisons confortables. Il commença par se diriger vers les territoires du nord-est où il entra dans un monastère et entreprit la formation d'un ascète. Membre de cette congrégation religieuse, il vécut comme ses compagnons : ils se levaient à l'aube, vivaient frugalement d'aumônes et pratiquaient différentes techniques de privation. Ils habitaient le plus simple des logis et se nourrissaient le plus chichement du monde. Les oignons et l'ail étaient interdits, car ils donnaient du goût aux aliments.

Il mena cette existence pendant des mois, mais elle ne lui apporta pas la satisfaction qu'il cherchait. Siddhartha avait la sensation d'avoir franchi un pas dans la bonne direction, mais pas d'avoir trouvé la réponse complète qu'il cherchait : il n'éprouvait aucune impression de transcendance, de magie, aucune indication selon laquelle il s'agissait de la vie qu'un homme devait mener. Animé de la soif de sensations propre aux jeunes, il décida, avec un petit groupe de compagnons, que la raison en était sûrement la mollesse et l'âge avancé de leurs maîtres religieux qui les empêchaient d'être assez rigoureux envers eux-mêmes.

Ils les quittèrent et rédigèrent un manifeste par lequel ils se privaient de biens terrestres, de lieux pour dormir, de nourriture et d'eau, selon des critères beaucoup plus radicaux. Ils devinrent les plus austères des ascètes. Leur vie était dure. Dangereuse, aussi. Vivant absolument de rien, Siddhartha parvint à une autre étape de ses expériences et se laissa presque mourir de faim. Après avoir passé plusieurs jours sans rien avaler, il fut pris de douleurs et d'hallucinations. Alors que sa vie ne tenait qu'à un fil, il comprit que la mort en elle-même n'était pas non plus la réponse. Soulevant son corps squelettique, il prit une grande décision. Il accepta la nourriture que lui offrait une femme appelée Sujata.

Le choc provoqué par le fait d'avoir échappé à une mort précoce lui fit entrevoir que cette route n'était pas non plus la bonne. Comment la mort pouvait-elle être la réponse au mode de vie que devait mener un homme ? C'était impossible. L'exact contraire d'une réponse. La mort ne serait que la reconnaissance qu'il n'existait pas de réponse à la question.

Déambulant dans les forêts fraîches et magiques du nord-est de l'Inde, il s'assit pour rassembler ses idées. Il se souvint d'un épisode de son enfance, au cours duquel il avait observé son père dans le jardin. Une journée de printemps éclairée par le soleil. Shuddhodana labourait un champ en compagnie de ses hommes. Siddhartha se rappela qu'il était assis sous un jambosier. Le parfum de la terre fraîchement retournée embaumait autour de lui. Les rayons du soleil réchauffaient de nouveau sa peau après l'hiver. Il avait dérivé dans un état de félicité. Il ne faisait plus qu'un avec cet instant, il se sentait libéré de toutes ses émotions, de toutes ses pensées, de tous ses besoins. Il avait eu la sensation, pendant quelques secondes, de se trouver exactement au bon endroit, au bon moment et dans le bon état : un être humain parfaitement intégré à l'univers. Cet état : là résidait la réponse. C'était lui qu'il devait retrouver.

Siddhartha abandonna l'ascétisme, provoquant le désarroi de certains de ses compagnons qui trouvèrent son attitude défaitiste et velléitaire, et il chercha une autre voie. Sous un figuier sacré[1], il se plongea dans la méditation. Un gardien de chèvres qui passait lui offrit du babeurre. Il l'accepta, décidant que se priver de tout était une erreur en soi. Il resta assis sous cet arbre pendant des jours et parvint à un état qu'il qualifia plus tard d'éveillé. En se concentrant de toutes ses forces sur l'instant présent, il développa un système de transcendance. Dans cet état, il lui apparut évident que la satisfaction et l'automortification étaient deux extrêmes et qu'elles constituaient toutes deux des réponses erronées à la question concernant la vie qu'un homme devait mener. Le chemin médian était la bonne voie.

Dès lors, il se sentit différent et qualifia cet instant de moment d'éveil.

L'ÉVEILLÉ

La vie de Siddhartha du clan Sakya nous offre une myriade de leçons, applicables à tous les domaines de notre vie, de nos plus rudes batailles professionnelles à nos luttes intimes les plus profondes. Il est difficile de trouver un personnage historique ayant incarné avec davantage de force que lui le mystère de la condition humaine. Il changea notre mode de pensée et aujourd'hui encore, ceux qui apprennent son existence ont besoin d'effectuer le même cheminement intellectuel que le sien et celui de ses disciples.

L'objectif n'est pas celui que vous croyez.

---

[1] Arbre de la *Boddhi* (éveil à la connaissance suprême), NDT.

Nous avons tous des buts. Nous voulons être heureux. Nous voulons être à l'aise. Nous voulons être aimés. Nous voulons être satisfaits par nos accomplissements. Nous voulons avoir assez d'argent pour nous faire de temps en temps plaisir. Nous voulons la sécurité financière pour nous, nos enfants et les membres de notre famille. Nous voulons être appréciés. L'âge venant, nous nous apercevons que nous voulons que l'on se souvienne de nous. Nous désirons laisser notre empreinte. Au cours de moments de lucidité, nous sommes capables de réfléchir aux choses que nous désirons et, pour la plupart d'entre nous, d'en dresser une liste plutôt longue.

Si nous prenons du recul et observons en détail notre vie, nous prenons conscience d'autre chose : nous ne consacrons pratiquement pas de temps à poursuivre nos objectifs prétendus essentiels, ceux à long terme, ceux qui changeront nos vies. Nous dépensons au contraire presque toute notre énergie à poursuivre les buts à court terme, relativement triviaux, que la société nous fixe. Des détails insignifiants, mais urgents, guident notre vie. As-tu fini ce rapport ? Payé cette facture ? Revu cet article ? Envoyé cette lettre ? Lu ce journal ? Et le lendemain, nous faisons de nouveau toutes ces choses triviales, puis le surlendemain, le jour suivant et celui d'après.

Lors des rares occasions où nous nous concentrer sur des buts plus importants, nous nous apercevons que pratiquement tous ceux sur lesquels nous avons jeté notre dévolu, fixés par nos communautés, tournent autour de la réussite et reviennent, somme toute, à gagner beaucoup d'argent. Dès l'école, on nous encourage à exercer un « bon » métier, pour pouvoir habiter dans une « belle » maison et vivre une « belle » vie. Mais que signifient ces expressions ? Dans chacune d'elles, « bon » et « beau » sont simplement des euphémismes pour cher, luxueux, onéreux, haut de gamme. La belle vie est une vie remplie de biens confortables, un bon métier est un métier bien payé et une belle maison n'est pas une bicoque au bord d'une décharge publique.

Il serait beaucoup plus logique de qualifier de « bons » les métiers tels que ceux d'infirmière, de psychologue, d'éducateur, d'instituteur ou de travailleur social. Il s'agit d'occupations qui ne se contentent pas de fournir un soutien important à notre prochain mais qui nous procurent également une grande satisfaction personnelle. Or, ils ne sont pas considérés comme des emplois bien rémunérés, si bien que la société moderne ne les qualifie pas de « bons ». Une logique absurde, mais tout à fait typique du monde dans lequel nous vivons.

L'argent et le statut sont devenus inexorablement liés.

La société moderne semble délibérément organisée de manière à nous déstabiliser. Aujourd'hui, il est très mal vu de révéler aux autres – en particulier à nos collègues de travail – notre salaire. Pourquoi ? Parce que s'il est plus élevé que le leur, ils en éprouveront du ressentiment, et les mauvaises ondes qui se propageront à l'intérieur des locaux feront du tort à l'entreprise. En d'autres termes, la somme que vous gagnez pour accomplir votre travail est hors de propos. L'important, c'est que vous gagniez au moins autant que l'employé A, B ou C et si possible beaucoup plus que D, E et F, mais moins que G, H et J. Ce n'est pas le montant qui compte, mais sa place dans l'ordre hiérarchique.

Les choses se présentaient sous un autre jour pour Siddhartha. Il commença sa vie en haut de la hiérarchie. Par conséquent, il savait déjà une chose que nous ne découvrons qu'au bout de longues années : atteindre un rang élevé n'apporte pas la plénitude. Au contraire, cela ne fait qu'obscurcir les besoins d'un être humain. Tout le monde supposait que vivre dans une belle maison, appartenir à une caste supérieure, faire bonne chère et bien boire suffisaient à son bonheur.

Il ne ressentait en fait aucune satisfaction personnelle mais tout à fait l'inverse : il avait la sensation de posséder moins que les autres, et il ne se trompait pas. Il connaissait moins bien le monde réel. Il n'avait pas les pieds sur terre. Il ne faisait qu'entrevoir où se situe le vrai bonheur, en quoi réside l'accomplissement personnel, quelle est la place d'une personne dans l'univers. Comme il ignorait tout des véritables questions de la vie, il était en fait un enfant démuni. Dès l'adolescence, il l'avait d'ailleurs réalisé dans des moments de lucidité, lorsqu'il s'était aperçu que rester assis à l'ombre d'un jambosier lui apportait une plus grande satisfaction que de vivre dans une magnifique demeure.

Ce genre de découverte peut survenir d'un seul coup ou par touches successives. Un de mes amis apprit un jour que sa collègue gagnait beaucoup plus que lui. Un salaire quasi double. Ils n'avaient pas le même poste et elle accomplissait de bien plus longues heures de travail que lui. Cela ne l'empêcha pas d'estimer qu'il devait faire quelque chose à propos de cette énorme différence de salaire. Il se plaignit tellement qu'à la première occasion, on lui offrit la possibilité d'occuper un poste identique à celui de cette femme, à salaire et heures de travail égaux. Il en souffrit très vite, car ses instants de loisir lui manquaient. Il aimait travailler, mais il n'appréciait pas d'avoir à peiner soixante heures par semaine au lieu de quarante. Une très grande tension régnait dans le service où il avait été muté, dont le personnel devait être disponible à toute heure du jour ou de la nuit. Il appréciait de gagner plus d'argent, mais cette somme ne compensait en aucune manière le manque d'équilibre de sa nouvelle vie. La tête basse, il finit par s'excuser auprès de son patron et le prier de lui redonner son poste précédent. Il retrouva avec joie son ancien titre, de même que son ancien salaire. Il gagnait moins, mais sa vie lui paraissait plus remplie.

La protection contre la rude réalité
peut être une forme de mauvais traitement.

Shuddhodana, le père de Siddhartha, institua un système de protectionnisme pour empêcher son fils de subir l'influence du monde réel. Il voulut l'envelopper de plusieurs couches isolantes, afin de contrôler entièrement le développement de son psychisme et de façonner le successeur qu'il désirait.

Son plan se retourna contre lui. Nous pouvons imaginer l'horreur que lui inspira son échec. Il avait œuvré de toutes ses forces dans l'intérêt de son fils et n'avait fait que créer du ressentiment. Siddhartha devait sans doute éprouver des sentiments complexes et fluctuants à l'égard de son père. Sans doute passait-il d'une profonde colère contre lui à une forme de reconnaissance, due au fait qu'il l'avait protégé des abominations du monde.

L'évidence, c'est que les tentatives du père de mettre son fils à l'abri aboutirent exactement à l'inverse de l'effet escompté. En affaires, la leçon est tellement claire que nous n'avons même pas besoin de nous y attarder. Les entreprises qui se protègent ne peuvent pas prospérer. Les banques et les entreprises d'État chinoises en sont le meilleur exemple. Protégées depuis des lustres d'avoir à prendre des décisions commerciales alignées sur le monde tel qu'il est, ces firmes se sont atrophiées. Elles se sont transformées en énormes processeurs de paperasse comptant beaucoup trop d'employés, dont le rôle essentiel, qui aurait simplement dû consister à produire de la richesse, ne s'est pas concrétisé. Charles Abbot déclare : « Une entreprise sans bénéfices n'est pas davantage une entreprise qu'un cornichon n'est un bonbon. » Les entreprises d'État chinoises se sont à la place transformées en centres de création d'emplois alimentés par de gros apports d'argent du gouvernement. Au lieu de produire de la richesse, elles sont devenues d'énormes consommateurs.

Au cours des dernières années, les entreprises d'État de la Chine ont subi un long processus de démantèlement. Processus fort douloureux, impliquant un changement complet de culture et la perte de dizaines de milliers d'emplois. Pourtant, on peut attribuer tous leurs problèmes à une erreur commise il y a plus de soixante ans, quand on a cru qu'on faisait du bien à une entreprise en la protégeant.

La chute des barrières commerciales dans le monde a fait prendre conscience à tous que le protectionnisme n'était pas une bonne chose et qu'il fallait y mettre un terme. Malheureusement, on n'a pas compris par la même occasion que sa suppression devait se faire avec prudence et équité. Les transitions abruptes ou mal gérées peuvent être source de grandes douleurs, comme l'expérimenta Siddhartha. Actuellement, le monde est dans un état regrettable, du fait que nous obligeons les pays les plus pauvres à abandonner leurs lois protectionnistes, tout en permettant aux plus riches de maintenir les leurs. De nombreux exemples illustrent ce problème, mais l'un des plus choquants est celui de la production mondiale de sucre. Les pays pauvres, tels que le Malawi, sont contraints de suivre des règlements antiprotectionnistes et doivent donc accepter de vendre le sucre au taux du marché. Pendant ce temps-là, les pays riches continuent à subventionner leurs agriculteurs et leur permettent ainsi d'inonder le marché mondial et de faire baisser le prix du sucre. Nous nous retrouvons dans la situation grotesque où les riches se servent activement des lois antiprotectionnistes pour rendre les pauvres encore plus pauvres.

Des exemples comme celui-là sont parfois utilisés pour démontrer que le protectionnisme peut avoir du bon. Ne devrions-nous pas protéger la population du Malawi? En réalité, ils prouvent tout à fait autre chose : le protectionnisme crée des systèmes déséquilibrés, et ces systèmes devraient être démantelés au fil du temps, partout, avec un luxe de précautions destinées à léser le moins de monde possible. Dans certains cas, le «commerce équitable» peut bien fonctionner, fournir un coussin qui évite le protectionnisme, tout en permettant aux agriculteurs pauvres de vendre leurs produits à des clients aisés. En général, les meilleures réponses sont celles apportées par des organisations non gouvernementales travaillant sur le terrain, telles que Oxfam et Vision mondiale.

Le protectionnisme mondial fonctionne en général en liaison avec la macroéconomie : les processus majeurs en fonction desquels l'argent s'écoule à travers le monde. Il s'applique aussi à chaque entreprise, qu'elle soit grande, moyenne ou minuscule. Nous avons tous des marchés pour nos biens et services. Et nous sommes tous tentés d'adopter une attitude protectionniste afin de retenir ces marchés.

La société A, par exemple, est constituée d'une équipe de deux personnes et produit des manuels scolaires spécialisés. Comme elle vend directement aux écoles, elle n'a pas besoin de se frotter à la concurrence publicitaire d'autres éditeurs dans les librairies. Elle possède son propre petit créneau protégé. Une situation en apparence idéale. Sauf qu'il est probable qu'elle va atteindre son point de saturation et qu'elle ne pourra plus se développer. En même temps, ses concurrents se mettront à vendre eux aussi directement aux écoles.

Que faire dans ce cas ? La société A doit serrer les dents et entrer dans l'arène. Elle doit vendre ses livres par tous les canaux commerciaux, par Internet, dans les écoles d'autres villes et dans d'autres pays. Si elle ne fait rien de tout cela, elle finira par constater que son petit marché structurel se fait grignoter, que sa croissance s'arrête et que ses bénéfices diminuent. Plutôt que de se réjouir de disposer de son propre petit créneau, la société A doit prendre conscience qu'elle a bénéficié d'un bon coup de fouet au départ, mais qu'elle doit désormais anticiper un durcissement de sa situation. Elle doit s'agrandir, trouver sa place dans le monde au sens large. Elle doit être Siddhartha, quitter sa maison familiale et entrer dans le monde véritable, truffé de tous ses défis.

Ce n'est pas chose aisée. Nous nous faisons souvent apostropher par des gens qui nous intiment de quitter notre zone de confort. En réalité, les personnes ambitieuses passent la plus grande partie de leur vie et dépensent le gros de leur énergie à se fabriquer leur propre créneau, si bien qu'elles n'ont pas envie de le quitter. Cela est normal. En général, nous nous représentons les créneaux sous formes de lieux ou de situations, mais s'y intègrent également des éléments humains. Nous nous entourons de gens qui nous rassurent. Nous devons nous en débarrasser aussi, et cela nous amène au problème suivant.

Dès que nous engageons des flagorneurs, nous sommes cernés par le danger.

Nous nous attirons des admirateurs lorsque nous escaladons l'échelle de la réussite. Quand nous devenons cadres, les employés subalternes lèvent les yeux vers nous en se demandant combien de temps il leur faudra pour atteindre notre niveau. Quand nous atteignons la direction générale, nous nous retrouvons avec une foule de flatteurs dans notre entreprise ou, en tout cas, de gens qui convoitent notre place. Le pouvoir est un aphrodisiaque : il rend séduisant.

Plus nous devenons puissants, moins il est probable que notre entourage nous dira la vérité. Cela ne provient pas obligatoirement du fait qu'il est composé d'individus onctueux ou flagorneurs. Leur attitude est dictée par autre chose. Ils nous craignent et ne veulent pas nous contredire. Ils nous disent donc ce que nous voulons entendre, le contraire de la vérité dont nous avons besoin. De plus, les subalternes sont parfois effrayés par les riches et les puissants. Les échanges verbaux prennent une autre dynamique qui fait que les commentaires du patron pèsent beaucoup plus lourd que ceux des employés ou du personnel domestique. Pourtant, la sagesse n'a rien à voir avec un titre ronflant. La nature étant ce qu'elle est, il y aura obligatoirement des réunions au cours desquelles la politique la plus sage sera recommandée par une recrue et les solutions les moins pratiques par les plus anciens. Dans les boîtes aux structures pesantes où la hiérarchie est beaucoup trop respectée, on ne tiendra pas compte de ces idées capitales formulées par de jeunes employés. Dans des entreprises bien dirigées, l'équipe ne sera pas aveuglée par le rang et optera pour les propositions intelligentes, pas obligatoirement pour celles du patron.

Il existe toujours des disparités entre le rang et le talent. J'espère en tout cas que votre entreprise est bien gérée, que vos directeurs sont des professionnels capables, qui détiennent le pouvoir parce qu'ils le méritent. Cela n'empêche pas que dans chaque entreprise, il y a des gens du bas de l'échelle qui sont capables de faire des commentaires pertinents lors des réunions. Ne laissez pas passer ces remarques.

J'ai connu un directeur qui avait engagé les meilleurs designers pour aménager la nouvelle salle d'exposition de son entreprise. Les résultats étaient spectaculaires, le lieu magnifique. Après s'être fait beaucoup prier, une des réceptionnistes donna son opinion :

– C'est très agréable à regarder, déclara-t-elle. Trop agréable, en fait. Les clients se conduisent comme dans un musée. Personne ne nous adresse la parole et personne n'achète rien.

Quelques semaines suffirent à prouver qu'elle disait vrai. Le lieu était effectivement très beau, tout le monde s'extasiait, mais l'activité commerciale chuta à pic. Du coup, la décoration fut revue, la salle reconfigurée afin de ressembler davantage à une série de stands. Elle était ainsi plus accueillante. Le contact fut rétabli entre les clients et les vendeurs. Les objets exposés éveillèrent l'intérêt. Les affaires reprirent.

La souffrance gratuite est étonnamment populaire.

Une des choses les plus curieuses que découvrit Siddhartha fut le luxe de la souffrance. Cela semble contradictoire, mais il s'aperçut que les gens choisissaient de s'autoflageller parce qu'ils en « tiraient du plaisir ». Ils éprouvaient une satisfaction perverse à se priver de certaines choses. Ils savaient que se vautrer dans le luxe était un chemin erroné vers le bonheur et ils s'essayaient donc à l'opposé : ils se plaçaient eux-mêmes en situation de privation. Selon Siddhartha, il s'agissait d'une voie tout aussi mauvaise vers l'accomplissement de soi.

De nombreuses entreprises fonctionnent de la sorte, leurs chefs choisissant la souffrance, non pour eux-mêmes, mais pour leur personnel. Ces patrons estiment sans doute qu'un groupe d'employés qui observent un silence pitoyable fournissent un meilleur travail que des gens qui accomplissent leurs tâches en chantonnant. Dans leur esprit, les tapis épais et les meubles trop confortables amolliront le personnel. Ils se décarcassent donc pour rendre les lieux plus fonctionnels. Ces patrons mettent la climatisation à fond, même si cela augmente leur note d'électricité, car ils se basent sur la théorie selon laquelle les gens sont plus actifs dans un cadre plus frais, pour éviter d'avoir froid. Et puis, cela fait du bien aux ordinateurs de ne pas surchauffer : ils durent plus longtemps. Dans de nombreux cas, cette attitude n'est pas basée sur une étude factuelle, mais sur l'impression générale que les travailleurs se dépenseront davantage s'ils sont maintenus au bout d'une laisse courte, dans un état de frayeur. De même que les Vikings fouettaient les esclaves qui faisaient avancer leurs drakkars à la rame, les patrons remontent les bretelles de leur personnel. Ces gens considèrent la nature humaine avec scepticisme et ont le sentiment que leurs employés perdront leur temps s'ils ne sont pas traités durement.

Un de mes amis chinois qui a travaillé dix ans au Canada avant d'être muté dans une usine d'une région retardée de l'Asie m'a dit :

– Après le système canadien où le personnel est incité à travailler par des encouragements, j'ai eu du mal à m'adapter à un système dans lequel on force les gens à travailler en menaçant de les humilier.

Les patrons qui instaurent ce mode de fonctionnement doivent regarder la réalité en face. Il est vrai qu'une température fraîche sied aux ordinateurs. Mais quelle est la durée de vie maximale d'un ordinateur ? Quatre ou cinq ans tout au plus, puis il est envoyé à la casse et remplacé. Comparativement, combien de temps peuvent travailler pour vous vos employés les plus loyaux ? Quarante ans ? Cinquante ? Il est impossible d'établir une comparaison. Vos atouts principaux ne sont pas des machines mais des êtres humains.

Reconnaissez qu'au bout du compte, tout ce qui importe est intérieur.

La leçon la plus pertinente que nous a donnée Siddhartha est que l'essentiel réside en nous. Nous pouvons entasser autant d'or et d'argent que nous le désirons et n'en tirer aucune satisfaction. « Un plat de légumes servi avec affection a bien meilleur goût qu'un rôti de bœuf servi haineusement », dit *Le Livre des proverbes*. Nous devons situer la satisfaction personnelle à un niveau plus élevé dans nos vies et moins nous focaliser sur les récompenses financières. *A contrario*, quand nous cessons de nous focaliser sur l'argent, une atmosphère plus agréable, plus saine règne dans nos entreprises. Elles fonctionnent mieux. Elles deviennent plus créatives. Et en fin de compte, oui, elles gagnent plus d'argent.

LA VIE SUR LA ROUTE

Les pensées et les idées que nourrit Siddhartha au cours de cette période ont été classées en listes et en articles de foi divers connus sous le nom de *dharma* – oui, le mot que nous avons déjà rencontré à plusieurs reprises. Il tirait une roue, qui devint son symbole. Il semblerait que pour des raisons pratiques, les cinq compagnons qui avaient cherché la vérité avec lui le rejoignirent. Dans le parc des Daims, non loin de Varanasi, il leur fit part de la Voie du Milieu qu'il avait découverte. Dès lors, ses amis, que nous devrions à présent qualifier plus correctement de disciples, lui attribuèrent le nom de l'Éveillé. En sanskrit : le *Bouddha*.

Au cours des quarante-cinq années suivantes, lui et ses compagnons voyagèrent à travers le nord-est de l'Inde. Il raffina sa doctrine et l'enseigna à toutes sortes de gens, des nobles de rang élevé aux balayeurs de rues de basse caste. Ne soyez pas complaisant envers vous-même et ne soyez pas ascète, leur recommandait l'Éveillé. Si vous êtes malheureux, réalisez que rien ne vous force à l'être. Ce sont les désirs insatiables qui vous font souffrir. Si vous n'avez pas soif de biens matériels, vous ne souffrirez pas. Vous pouvez maîtriser vos envies. Vous pouvez y mettre un terme. Et vous devriez faire davantage : commencez par regarder en vous-même, puis à l'extérieur. Après avoir appris à ne pas vous faire de mal, apprenez que vous ne devriez pas blesser les autres humains. De plus, apprenez à ne pas faire de mal à aucune créature vivante.

Il n'était pas écrivain, mais il rendit son enseignement plus facile à absorber et à mémoriser (il n'existait pas de fascicule à remettre ni de livres à distribuer) en transformant ses principes en listes numérotées : les quatre nobles vérités, le noble chemin octuple et ainsi de suite.

Son enseignement avait du succès, si bien que le nombre de ses disciples se mua de dizaines en centaines, avant de se transformer petit à petit en milliers. À ce stade, la philosophie de Siddhartha n'avait rien d'une religion mondiale. Il ne s'agissait que des préceptes d'un maître laïque original.

À quatre-vingts ans, Siddhartha fut victime d'une intoxication alimentaire. On raconte qu'il avait mangé du porc préparé par un forgeron dénommé Cunda. Sa maladie empirant, il aurait dit à ses disciples de ne pas prévenir Cunda que c'était à cause de son plat. Siddhartha voulait faire passer les bonnes intentions du forgeron avant le fait cruel que la nourriture contenait des microbes. Il mourut peu de temps après et fut incinéré. Les os de son corps furent distribués comme reliques aux stûpas de la région.

Beaucoup allèrent au Maghada, un endroit que nous connaissons bien et où nous allons de nouveau pénétrer.

LA CAPACITÉ DE CHANGER LE MONDE

Un chef très dynamique en profite
pour faire le bien et le mal. Il note
ses découvertes dans les extraordinaires *Édits d'Açoka*.

UN RÈGNE SANGLANT

Comme cela arrive souvent dans les familles, l'intelligence supérieure saute parfois une ou plusieurs générations. Si Bindusara, le « fils prématurément arraché » à sa mère de Chandragupta Maurya, ne perdit pas l'empire de son père, il ne réussit quand même pas à beaucoup l'agrandir. Il y ajouta peut-être une partie des régions centrales du sud du sous-continent, mais il n'accomplit rien qui puisse faire résonner son nom dans l'histoire. Sa seule contribution est fortuite : il engendra un fils qui devint probablement le chef le plus célébré de toute l'histoire de l'Inde.

Ce dernier s'appelait Açoka et il régna avec son épée. Homme au caractère violent, doué pour accomplir de grandes choses, il semblait posséder la passion et le dynamisme qui avaient transformé son grand-père en Chandragupta Maurya l'Irrésistible.

Dans sa jeunesse princière, il avait sans nul doute entendu raconter à de multiples reprises comment son grand-père, fils d'un dompteur de paons, était parti de rien mais avait expulsé la dynastie Nanda, pris le pouvoir au Magadha et étendu son empire sur toute la partie nord de l'Inde et une grande partie de son centre. On lui avait narré comment l'armée de son grand-père avait conquis royaume après royaume, comment Chandragupta avait vaincu les héritiers d'Alexandre le Grand et comment il avait œuvré avec le grand sage Kautilya Chanakya pour repousser de toutes parts les limites du royaume.

À la mort de Bindusara, ses fils luttèrent pour s'emparer du royaume. Açoka remporta la bataille, confirmant à la force de l'épée son emprise sur le trône : selon l'histoire, il tua 99 demi-frères. Un examen de sa vie suggère qu'il ressemblait beaucoup à son grand-père, à deux égards au moins. Pour commencer, il était un soldat, particulièrement brutal et impitoyable. Il installa une salle de torture tellement horrible qu'on racontait qu'il était descendu en personne en enfer afin d'y trouver des idées pour la concevoir. Cette salle constitua une célèbre attraction touristique en Inde pendant des siècles, avant d'être oubliée. Par ailleurs, il possédait une fibre spirituelle, exactement comme lui. Il cherchait des présages célestes et il s'intéressa de plus en plus aux bouddhistes et aux jaïnistes, dont les chemins se croisaient dans son royaume. On lui attribue deux grands amours, dont l'un pour une jeune femme qui faisait partie des Éveillés.

Alors que Bindusara avait peut-être effectué des incursions dans l'Inde du centre ou du sud, il ne parvint pas à conserver la principauté de Kalinga, une vaste région de l'Inde orientale occupée par de rudes tribus guerrières. On raconte que son fils Açoka agrandit le royaume, même si l'on ne dispose de preuves historiques qu'au sujet d'une bataille : celle de Kalinga. Il s'inspira sans doute des livres de conseils de Chanakya et appliqua les techniques militaires perfectionnées par Chandragupta, dont il semblait posséder le talent de conquérant. Homme encore plus trempé dans l'acier que son père et son grand-père, Açoka conserva et élargit le royaume à coups de hache.

En examinant la carte de son territoire, Açoka ne put que faire une obsession sur Kalinga, le seul lieu qui paraissait imperméable aux Maurya. Chaque fois qu'il s'était emparé d'un nouvel État, il avait absorbé des armes et des hommes supplémentaires, si bien que son armée s'était considérablement étoffée. S'il faut en croire les récits, sa violence s'était également exacerbée.

Arriva le jour où il décida d'utiliser des moyens extrêmes pour s'emparer de Kalinga par la force. Il donna ses ordres. Une armée gigantesque allait se déverser dans la forteresse sur de multiples fronts et exterminer tous les hommes et les animaux de guerre, chevaux ou éléphants. Tous les enfants et les femmes seraient faits prisonniers. Il n'y aurait aucune miséricorde.

La population de Kalinga, fière de son indépendance, se défendit bravement, mais la partie était perdue d'avance. La puissante armée d'envahisseurs se tailla un chemin dans la cité. On raconte qu'à la fin de la bataille, les rues étaient jonchées de cadavres et que l'eau de la rivière qui traversait le centre de la ville était rougie de sang. Les soldats d'Açoka estimèrent qu'environ 100 000 personnes gisaient, mortes, à la fin des combats. Plus du double succombèrent par la suite à leurs blessures et à des maladies. Les rues étaient recouvertes de cadavres d'éléphants et de chevaux.

Cette victoire fit que le royaume d'Açoka englobait la plus grande partie de ce qui constitue l'Inde actuelle, exception faite probablement de sa région sud. Le monde n'avait encore jamais vu plus vaste Inde unifiée. Elle allait demeurer dans cet état pendant deux millénaires, jusqu'à l'arrivée des Britanniques. De par sa taille, c'était l'un des plus grands empires du monde.

L'empereur Açoka pénétra en vainqueur dans la cité dévastée de Kalinga qui devait offrir un spectacle sinistre, avec les rives du fleuve jonchées de cadavres. En Inde, les corps ont vite fait de pourrir ; sa visite fut sans doute brève, durant le court laps de temps précédant le moment où les lieux devinrent irrespirables et porteurs de maladie. L'horreur du carnage ne put que tempérer légèrement tout sentiment de triomphe que lui ou ses généraux ressentaient.

Subitement, quelque chose remua au bord de l'eau. Une silhouette dépenaillée, qui portait un ballot. Les mythologues ont fait de cette figure un moine et certains affirment qu'il s'agissait d'une réincarnation de Siddhartha Gautama. Mais ces ornementations ne sont pas nécessaires. Je préfère penser qu'il s'agissait d'un citoyen ordinaire de Kalinga. Comme l'armée avait l'ordre de tuer tous les individus de sexe masculin, il s'agissait probablement d'une femme.

— Tu es un roi puissant, déclara ce personnage, ou une phrase de ce genre. Tu es l'empereur. Tu es un dieu. Toi seul es responsable de la mort de 100 000 êtres humains.

Comment réagit Açoka ? Par une démonstration d'orgueil ? Par un accès d'énervement ? Que firent ses gardes ? Sans doute se méfièrent-ils d'abord de ce personnage sinistre qui venait du fleuve, puis ils se détendirent un peu à l'écoute des louanges qu'il adressait à l'empereur.

– Ô dieu-empereur, tu as pris la vie de 100 000 personnes, dit-elle. Tu es à présent véritablement Açoka le tout-puissant. Rends la vie à un seul : cet enfant.

Je vois cette femme en haillons tendre le ballot à l'empereur. Dégoûté, il n'a évidemment aucune envie de le prendre. Le corps brisé de l'enfant atterrit peut-être entre eux sur le sol. Il ne reste aucune trace du nom de cette femme et de cet enfant. Dans cette histoire, nous ne disposons que de celui de la rivière. Il fut changé en Daya, ce qui signifie rivière de la Compassion, nom qu'elle porte encore de nos jours.

Néanmoins, cette rencontre, qu'elle ait eu lieu sous la forme rapportée par la tradition, dans des circonstances très différentes ou dans la tête d'Açoka ou de l'un de ses biographes, exerça un effet profond sur l'empereur. Nous en détenons encore la preuve partout en Inde, des millénaires plus tard. Tous les faits historiques démontrent une métamorphose totale de l'attitude et du comportement violents du souverain à partir, grosso modo, de cet instant. L'événement qui se déroula à Kalinga, quel qu'il soit, brisa le cœur d'Açoka. Il retourna chez lui au Maghada en réfléchissant à ce qu'il avait vu. Lorsqu'il ressortit de son palais, il n'était plus le même homme.

Les incursions de son armée sur d'autres territoires cessèrent sur-le-champ. Dans une déclaration, il annonça qu'il modifiait à 180 % le cap de ses objectifs. Il chercha une nouvelle philosophie et il la trouva.

Depuis déjà quelques années, son royaume se montrait réceptif à la présence grandissante des Éveillés, y compris dans les strates les plus élevées de la société. Açoka connaissait l'homme qui avait posé la question essentielle à laquelle chacun d'entre nous, dans son subconscient, essaie de trouver une réponse : *Comment doit vivre un homme ?* Il savait sans doute que Siddhartha du clan Sakya avait visité le palais de Maghada plus d'un siècle auparavant et comment sa philosophie de l'éveil avait pris une place essentielle en tant que foi codifiée, aux côtés du système jaïn introduit par Mahavira. Alors que les jaïns faisaient preuve d'une austérité rude et extrême, qui avait même amené son grand-père à se laisser mourir de faim, les Éveillés avaient la réputation d'être les humains les plus sereins, les plus ouverts, les moins violents du monde.

Açoka convoqua des enseignants de l'Éveil au palais et se plongea dans les études. Il connut une véritable seconde naissance. Telle était sa philosophie. Tel était son pays. Il annonça que son grand empire serait animé par un nouveau principe, le *dhamma* (un mot prakit signifiant « conduite pieuse », très proche du mot sanskrit *dharma*). Il s'agissait d'une philosophie axée sur la paix qui transformerait les restrictions des bouddhistes et des jaïns, telles que l'*ahimsa*, qui signifie « non-violence », en mode de gouvernement.

– À la place du roulement des tambours de la guerre, on entendra les battements du *dhamma*, déclara l'empereur.

Açoka adopta la roue de Siddhartha comme symbole de l'Inde nouvelle, roue qui figure toujours au milieu du drapeau indien. Il adopta aussi un nouveau nom : Piyadassi, d'où émanent bonté et bienveillance. Or, il est probable que personne ne l'appelait par l'un ou l'autre de ses noms : vu son rang si prodigieux, on ne se référait à lui que comme le Bien-aimé des dieux.

Après avoir conquis tous les territoires voisins, Açoka Piyadassi, le Bien-aimé des dieux, se lança dans une mission extraordinaire : la conquête de l'avenir. Il était tellement convaincu des bénéfices de ce nouveau mode de vie qu'il voulait que ces principes lui survivent, ainsi qu'à ses enfants et aux générations futures. Il voulait les rendre éternels. Il entama donc la rédaction du plus étonnant des textes jamais entrepris par un dirigeant de l'Antiquité. Il dicta une sorte de journal, un compte rendu de ses pensées, actes et réalisations, qui devaient être gravés sur le visage même du pays : une espèce de carnet de pierre, si vous voulez.

Les historiens les qualifient d'édits, mais c'est un vocable trompeur : il ne s'agit pas de listes bien nettes de lois et de statuts, et ils sont écrits dans une langue ni formelle ni cadencée. Ils sont écrits à la première personne ; en fait, ils dégagent par endroits une sensation d'intimité, presque comme s'il s'agissait de transcriptions d'enregistrements gravés dans la pierre. Ils apparaissent décousus et quelque peu répétitifs. Ce sont des comptes rendus d'informations de caractère souvent assez intéressé, tenant le peuple au courant des réalisations et des pensées de son empereur qui continue à appliquer le *dhamma* comme forme de gouvernement. Il passe de la première à la troisième personne, exactement comme on s'attend à ce que le fasse un humain au statut divin.

À la lecture de ces notes, on se le représente, le regard lointain, dicter ses pensées à voix haute en arpentant une salle de son palais de Pataliputra. Il évoque les remords que lui inspirent les événements de Kalinga et déclare que l'essentiel consiste à se conduire correctement, avec bonté et amour. « Ce monde et l'autre sont difficiles à atteindre sans un grand amour de la vertu, sans la pratique de l'autoanalyse, sans une grande obéissance, une grande circonspection, de grands efforts. Ma règle consiste à gouverner vertueusement, à administrer vertueusement, à plaire à mes sujets par la vertu et à les protéger par la vertu. » Ses déclarations devaient être retranscrites telles quelles sur des feuilles de palmes par des scribes. Ensuite, elles étaient confiées aux sculpteurs qui allaient les graver dans la pierre.

Son message est clair : « À la place du roulement des tambours de la guerre, on entendra désormais les battements du *dhamma* ». Pour de nombreux historiens, la conversion de l'empereur romain Constantin au christianisme fut un déclic qui transforma un culte sans importance en religion mondiale. On a dit la même chose à propos de l'adoption du bouddhisme par l'empereur Açoka. Elle constitua l'étape suivante menant au développement d'une tradition religieuse prévalente dans un empire immense et influent.

Tout comme il avait envoyé des guerriers aux quatre coins de l'horizon, l'empereur délégua des missionnaires chargés de répandre des paroles de paix et de tolérance. Il envoya son fils et sa fille en émissaires pacifiques de la voie de l'Éveil au Sri Lanka actuel. Il parvint à convertir de façon étonnamment brillante la population de l'île à cette nouvelle religion. Il envoya des émissaires répandre cette parole en Grèce, en Égypte et dans les pays intermédiaires. Ils déclaraient qu'Açoka souhaitait que tous les êtres puissent profiter « de la sécurité, de la maîtrise de soi, de la paix de l'esprit et de la bonté ». Cela dit, il n'était toutefois pas un missionnaire bouddhiste, mais le missionnaire du *dhamma*. Il ne mentionne le Bouddha dans aucune de ses lettres à son peuple et nombre de ses idées sur la protection des animaux dérivent probablement du jaïnisme. On a l'impression qu'il essayait d'intégrer tout ce qu'il trouvait bon dans les codes de conduite alentour et de l'englober dans une forme de gouvernement révolutionnaire.

Açoka le violent était devenu le roi de la paix. Son règne de quarante années (273 à 232 av. J.-C.) fut une période remarquablement pacifique. Il mit en place un système de soins médicaux gratuits. Il vida ses coffres pour construire des hôpitaux, des dispensaires et même des hospices pour les mourants. Financièrement parlant, ces endroits fonctionnaient sur la base du volontariat. Si on avait de l'argent, on pouvait payer. Si on n'en avait pas, on était soigné gratuitement. Il était tellement préoccupé par le bien-être physique qu'il créa des systèmes de distribution chargés d'envoyer des informations et des médicaments aux royaumes voisins, dont le Lanka et la Grèce. Là où ne poussaient pas les plantes médicinales, il envoya des jardiniers munis des graines, fruits et racines nécessaires pour les cultiver. « Mon travail consiste à assurer le bien-être du monde entier, déclarait-il. On ne peut agir de meilleure façon, et tous les efforts que j'accomplis sont destinés à effacer la dette que j'ai envers tous les êtres. »

Devançant la pensée indienne postérieure (et plus tard occidentale), il prit conscience des droits des animaux – en particulier de celui des bêtes sauvages – à ne pas être mangés. Il interdit les sacrifices animaux et ouvrit des hôpitaux pour animaux gratuits, réglant de sa poche les salaires de vétérinaires. Açoka devint ce que nous appellerions aujourd'hui un défenseur de l'environnement. Il incita son peuple à respecter les produits de la nature et interdit toute activité susceptible de polluer les sources d'eau. Il attribua financièrement à l'État le soin de maintenir les forêts. « De plus, j'ai fait planter des banians au bord des routes pour procurer de l'ombre aux hommes et aux animaux ; j'ai fait planter des bosquets de manguiers, j'ai fait creuser des mares et ériger des abris tous les huit kilomètres au bord de la chaussée. Partout, j'ai fait forer des puits pour le bien-être des hommes et des animaux », écrit-il.

Les cuisines qui nourrissaient le personnel de l'empereur massacraient plusieurs centaines d'animaux par jour. Il interdit cette pratique (même si son honnêteté l'oblige aussi à reconnaître, comiquement, que les cuisines ne pouvaient se passer de trois créatures par jour – deux paons et un daim –, qu'il jure d'inclure à terme dans cette interdiction). Certains pensent que l'Inde se transforma en État végétarien, alors que d'autres croient qu'il interdit de tuer les bêtes sauvages mais pas les animaux d'élevage. L'Inde contient aujourd'hui une grande proportion de la population végétarienne du monde.

Açoka envoya des fonctionnaires du *dhamma* parler aux prisonniers. Leur tâche consistait à les réhabiliter, à les faire avancer vers le jour où ils pourraient être relâchés dans la société. Les prisonniers pouvaient être libérés pour des motifs divers. « Ils sont peut-être vieux ou ils ont une famille à soutenir », écrit-il.

Il effectua un pèlerinage afin de remercier l'esprit de Siddhartha de lui avoir appris tout cela. Accompagné d'une suite de plusieurs milliers de courtisans royaux ainsi que de 18 000 disciples de l'Éveillé, il alla au logis de Siddhartha. Il se rendit sur son lieu de naissance, Kapilavastu, où il avait renoncé à sa vie de complaisance, à l'arbre de la ville de Gaya, où il avait connu l'Éveil pour la première fois, et au parc des Daims, où il avait annoncé à ses amis les principes de sa nouvelle philosophie. Là, Açoka érigea une colonne couronnée de quatre lions placés face aux quatre coins de la boussole (considérés à l'époque comme « les quatre coins du monde ») signifiant que la paix spirituelle et sociale irradierait dans toutes les directions à partir de l'Inde. Cette colonne figure aujourd'hui sur le drapeau indien. Sur le pilier qui la soutient, les sculpteurs gravèrent l'une des lettres d'Açoka.

La plus importante caractéristique de la conversion de l'empereur à sa version bouddhiste personnelle du *dhamma* est peut-être qu'il parvint à l'appliquer avec passion tout en respectant les autres religions : une forme de tolérance très moderne et qui dégage un parfum identique à celui des réunions multiconfessionnelles contemporaines. Sa douzième lettre gravée dans la pierre déclare : « Quiconque honore sa propre secte et décrie celle d'un autre individu, soit par loyauté aveugle, soit dans l'intention de montrer la sienne sous un jour favorable, fait le plus grand mal imaginable à sa propre secte. Le mieux est l'harmonie, dans laquelle chacun écoute et respecte les enseignements des autres. »

Les maçons sculptèrent ses dictons sur des rochers et des piliers qu'ils transportèrent dans tout le royaume, en érigeant même quelques-uns dans des pays voisins. Açoka fit littéralement en sorte que sa philosophie humaniste soit sculptée sur le visage de son pays.

Avec sa passion, son intelligence, sa sincérité, Açoka, l'homme mû par une énergie sans bornes, transforma l'Inde en une nation construite sur des principes en avance de milliers d'années sur leur époque.

MESURER SES CAPACITÉS

Avant de vous interroger sur la proportion de vos qualités et de vos défauts, vous devez répondre à cette autre question : quelle est l'intensité de votre motivation ? Une brève analyse de la vie d'Açoka incite la plupart des gens à penser qu'il s'agit d'une histoire de métamorphose : on dirait qu'il eut deux personnalités totalement différentes, le massacre de Kingala étant le point charnière qui le fit passer de l'une à l'autre.

En vérité, nous pouvons constater qu'il posséda tout au long de sa vie une qualité primordiale : une motivation à toute épreuve. Lorsqu'il maniait l'épée, il s'en servait pour changer les vies de centaines de milliers de gens par l'ajout très rapide de villes, de cités, de régions à son empire. Lorsqu'il brandissait un rameau d'olivier, c'était de nouveau au-dessus d'une vaste région – son propre pays élargi et ceux de ses voisins. Il « envahissait » les pays de ses voisins pour leur livrer des plantes et des médicaments. Açoka possédait une vision et une confiance en lui-même démesurées. De plus, il semblait ne pas connaître la notion de limites personnelles. Il était citoyen du monde. À ses yeux n'existaient qu'un seul monde et une seule espèce d'êtres humains. Cela allait de soi, et au bout du compte, le tribalisme était absurde. S'il voulait divulguer quelque chose au peuple, il l'envoyait d'abord au sien et à tous ceux à portée de ses frontières.

Ses *capacités* le placent au-dessus des autres dirigeants de l'époque. Quelle que soit la flamme qui l'animait, il ne craignait pas de s'y brûler. Il devait posséder une énergie et une assurance incommensurables. Il apparaît comme un homme avide d'accomplissements, doué de la capacité stupéfiante de transformer ses rêves en réalité. Caractéristique curieuse, étant donné qu'il fut élevé dans un cocon de richesse et de splendeur. Les rejetons des dirigeants contemporains, qu'ils soient issus de parents royaux, d'élus du peuple, de simples gens d'affaires ou de stars de cinéma, mènent souvent une vie dissolue. Comme ils n'ont jamais eu faim, ils ne développent pas la motivation suscitée par la privation de nourriture. Élevés dans un monde de privilèges, ils deviennent convaincus qu'ils les méritent.

Les médias, de plus en plus focalisés sur l'adulation de la fortune et de la célébrité, renforcent cette situation. Nous finissons par prendre pour modèles des gens qui sont incapables de s'établir et d'équilibrer le monde.

Açoka possédait ce dynamisme, il avait cette énergie et un désir inassouvissable de transformer le monde. Il le fit pour de bon. Ce changement se manifesta sous trois formes : dans la puissance de son gouvernement militaire, dans son interprétation du massacre de Kalinga et l'usage qu'il en fit pour modifier sa vie, dans la manière dont il devint l'apôtre du *dhamma*.

De nos jours, les gens essaient souvent de mettre le doigt sur leur motivation. À l'école et à l'université, des orienteurs tentent de définir nos raisons essentielles d'agir ; des tests écrits, des questionnaires font ressortir nos désirs. Certains des tests les plus anciens, comme l'Ennéagramme, font partie de ceux qui réussissent le mieux à identifier ces éléments motivateurs. Mais demeure une question qui n'est pas posée : peut-être savez-vous ce qui vous anime, mais quelle dose de dynamisme possédez-vous ? Quelle capacité ? Quelle énergie ?

Je connais plusieurs personnes très férues de cinéma, capables de disséquer très habilement un film. Elles savent ce qui fait marcher un film et repèrent rapidement ce qui cloche quand il est raté. Plusieurs d'entre elles nourrissent l'ambition d'écrire ou de mettre en scène leurs propres scénarios. Pourtant, je doute fort qu'elles y parviennent. Peut-être possèdent-elles le talent nécessaire, mais pour devenir un créateur important dans le monde du cinéma, vous n'avez pas seulement besoin d'être capable d'analyser des films : à moins de faire partie de la famille d'un membre proéminent de cette industrie, vous devez posséder une énergie incroyable. Dans ce domaine où règne une concurrence terrifiante, rares sont ceux qui arrivent à percer.

Il est peu probable que vous réussissiez si vous ne manifestez pas cette envie du matin au soir, de préférence dès votre jeune âge. Steven Spielberg a dirigé son premier film à vingt et un ans. Le premier long-métrage de Georges Lucas était basé sur un court-métrage qu'il avait tourné alors qu'il était étudiant. Robert Rodriguez, le réalisateur de *Spy Kids*, a commencé à tourner dans son enfance. Il montait ses films en reliant deux magnétoscopes pour jongler avec les bandes. Ces individus, tout comme leurs contemporains, Martin Scorsese et James Cameron, avaient du talent. Ce n'est pas seulement ce talent qui les a propulsés au sommet dans leur domaine, mais leur motivation sans bornes. Dès l'enfance, ils ont su ce qu'ils voulaient et ont tout fait pour l'obtenir. Certains avaient des relations intéressantes ; d'autres pas. Certains avaient de l'argent ; d'autres pas. Certains vivaient en Californie ; d'autres pas (Rodriguez a été élevé au Mexique et Cameron vient du Canada). Mais tous partageaient la faculté d'aller là où ils voulaient aller.

La triste vérité, c'est que nous passons notre vie à rencontrer des gens qui ne réaliseront jamais leurs ambitions. A aimerait quitter son emploi et fonder son entreprise ; B rêve de travailler pour son idole, le célèbre homme d'affaires C ; D travaille à des pièces de théâtre pendant ses temps libres mais il ne les termine jamais. Chacun de mes lecteurs connaît probablement des personnes de ce genre. Les rêves ambitieux pullulent. Nous en faisons tous à un moment ou à un autre. Il est évident que les gens qui lisent des ouvrages consacrés aux affaires en ont à la pelle. Mais nous, les vrais ambitieux, savons que nourrir un rêve ne suffit pas. Rien ne nous garantit qu'hormis nous faire tourner en rond, il nous mènera quelque part. La différence réside dans notre capacité à le concrétiser.

Comment pouvons-nous développer cette capacité ? Comment nous assurons-nous que nous possédons une motivation et une énergie suffisantes pour transformer nos visions en réalités ?

Nous devons prendre trois mesures essentielles. Tout d'abord, aborder notre rêve par son commencement – son état initial d'idée flottant dans notre conscience – et l'insérer profondément en nous. Il doit être installé au cœur même de notre être. Il doit exercer une domination qui le rend omniprésent et nous pousse à en parler sans cesse, ce qui nous fait parfois passer pour une personne obsédée ou qui porte des œillères. Petit à petit, cette étape nous transforme. Les autres ne nous voient plus comme un comptable novice ou comme un courtier en assurances. Ils nous identifient à notre rêve. « Il est réalisateur de films, sans cesse en tournage ou en train d'essayer de récolter des fonds. En même temps, il a l'intelligence de garder son emploi de bureau jusqu'au jour où il aura mis un pied plus solide dans l'industrie cinématographique. » Au lieu d'être quelqu'un qui travaille dans un bureau et qui rêve de faire des films, soyez quelqu'un qui travaille en cinéma mais qui occupe temporairement un poste dans une alcôve de bureau.

Ensuite, nous devons sortir notre envie de réussir du cœur de notre être et la laisser inonder notre vie. Elle doit constamment affleurer à la surface. Au lieu d'être jaloux d'un tiers qui a des contacts intéressants, nous devons nous dire que nous rencontrons toutes sortes de gens au fil de notre vie : vous croiserez à votre tour des personnes qui pourront vous être utiles. Utilisez le principe des six degrés. Une de vos connaissances connaîtra quelqu'un qui connaîtra quelqu'un qui connaîtra le producteur Jerry Bruckheimer ou l'acteur Jackie Chan. Si suffisamment de personnes sont au courant de ce que vous désirez, elles peuvent vous organiser un rendez-vous avec *l'individu en personne*, quel qu'il soit, du domaine de votre choix.

Lorsque vous vous retrouverez en tête à tête avec cette personne en mesure de concrétiser votre rêve, comment l'aborderez-vous ? Comment rassemblerez-vous le courage de mettre le sujet sur le tapis ? Que direz-vous ? Si votre rêve ne vous quitte pas, s'il bouillonne sous la surface et s'il vous guide, vous n'éprouverez aucune difficulté. Il vous donnera le courage de parler à qui de droit et il placera les paroles convaincantes dans votre bouche. Vous vous apercevrez que vous déroulez, habilement, passionnément, un baratin qui vous met en valeur. Il ne vous sera pas nécessaire de le répéter. Les mots jailliront de votre bouche : « Je m'appelle Jane et j'ai inventé un nouveau concept de divertissement qui a été testé avec des résultats extraordinaires. J'adorerais vous en faire part. »

Vous vous apercevrez que ce n'est pas uniquement la qualité de votre idée qui retient l'attention de votre interlocuteur, mais votre dose d'énergie. Si vous donnez l'impression d'être enthousiaste, focalisé sur votre sujet, motivé, prêt à tout pour arriver à vos fins, ce chef d'entreprise aura envie de partager une part du gâteau. D'ailleurs, vous constaterez peut-être que ce n'est pas une part du produit dont il a envie. Si vous démontrez que vous avez tout pour réussir, il vous voudra, vous.

Finalement, vous devez autoriser les autres à partager votre vision. Il est difficile de mener tout seul un rêve à terme. Si vous avez vraiment intériorisé votre mission et si vous démontrez que vous êtes vraiment orienté vers votre but, vous n'aurez aucun mal à trouver des gens prêts à se joindre à vous. En affaires, les personnes ambitieuses devraient apprendre à donner au verbe « encourager » son sens original : « donner du courage ». Les membres de l'équipe auront besoin d'alimenter leur courage intérieur.

De plus, quand vous partagez votre rêve, vous multipliez vos contacts professionnels. Si vous ne tombez pas sur la bonne personne dans l'ascenseur ou dans un cocktail, l'un de vos collègues le fera. Mieux encore, vous l'aborderez sur plusieurs fronts, et cette personne aura sûrement l'impression qu'une idée « branchée » bouillonne sous la surface.

Par conséquent, partagez vos idées et votre enthousiasme. Formez une équipe de dix personnes qui s'expriment d'une seule voix. Cela ne signifie pas que vous devez faire cadeau de votre idée. Vous pouvez demeurer PDG, capitaine ou barreur de l'équipe, mais dix voix qui s'expriment en même temps produiront toujours un bourdonnement plus fort qu'une seule. Je suis toujours étonné de constater, lorsque je prends la parole lors de conférences et de séances de formation, la difficulté des entrepreneurs à partager leurs ambitions. Comme je l'ai déjà dit, les gens d'affaires ont tendance à être des fondus du contrôle de la pire espèce. Cela n'a rien de très surprenant, puisqu'ils ont conscience que le souci du détail est l'une des clés du succès. Ce sont donc eux qui rédigent les communiqués de presse, eux qui accordent les entrevues, eux qui rédigent le manuel d'utilisation.

Leur omniprésence aboutit inévitablement à deux sortes de problèmes. Pour commencer, le rythme général est ralenti, puisqu'une seule personne accomplit toutes les tâches essentielles. Ensuite, l'énergie de l'équipe ne se développe pas, si bien qu'aucun bourdonnement ne se fait entendre. Coupez donc les amarres. Laissez tomber votre réserve. Répétez-vous six fois tous les matins : aujourd'hui, je ne serai pas obsédé par l'idée de tout contrôler. Accordez du pouvoir à votre personnel et à vos collègues. Partagez avec eux votre enthousiasme, et quand ils sont aussi remontés que vous, lâchez-les sur le terrain.

Montrez assez de flexibilité pour changer de direction, même s'il s'agit d'un virage à 180 degrés.

Rares sont les individus qui ont changé leurs vies aussi radicalement qu'Açoka du clan Maurya. Des années durant, il déploya la violence, puis il répandit la paix pendant des décennies. Il peut nous servir d'exemple, à une époque où plusieurs pays croient encore à des formes de punition non rédemptrices, à la peine de mort et ainsi de suite. Ces concepts émanent d'une incapacité à comprendre que les êtres possèdent des doses d'énergie différentes, qui peuvent et devraient être canalisées sous une forme positive.

L'un des actes accomplis par Açoka était très inhabituel pour un dirigeant ayant bâti sa réputation sur son caractère impitoyable et sa ténacité. Il reconnut qu'il avait tort. Il ne se contenta pas de rejeter son ancienne politique, mais il consacra le reste de sa vie à s'assurer que tout le monde avait compris qu'il s'était trompé et qu'il avait changé d'attitude.

J'ai lu des articles qui recommandent aux dirigeants de « ne jamais demander pardon ». Ils mettent en avant le mythe selon lequel la force équivaut à l'inflexibilité. Ils promeuvent l'image du machiste traditionnel, qui préférerait faire 1000 kilomètres dans la mauvaise direction plutôt que de s'abaisser à demander son chemin. Cette image forte, dure, idiote d'un chef n'a jamais été juste. Les bons dirigeants ont toujours été les plus flexibles.

Si vous demandez autour de vous quelles furent les conclusions de Charles Darwin, on vous répondra toujours qu'il a énoncé le principe de « la survie du plus capable ». En fait, il n'a pas dit cela. Si vous vous replongez dans son livre, vous vous apercevez que la survie n'est PAS le lot du plus fort, du plus intelligent ou du plus rapide, mais de celui qui s'adapte le mieux. C'est la faculté de s'adapter à leur environnement et de changer de direction – quel qu'en soit le prix – qui marque la division entre les gagnants et les perdants. Selon Darwin, c'est le principe essentiel de l'évolution de la vie. C'est également celui qui permet de diriger une entreprise avec succès.

On a déclaré à bon escient qu'il faut « être un homme véritable pour s'excuser ». Ce geste est bénéfique, pour plus d'une raison. D'abord, il vous présente sous le jour d'un individu honnête et humain. En fait, les gens d'affaires ont vraiment beaucoup de difficultés à obtenir une bonne réputation sur le plan humain. Les dirigeants fortunés des grandes entreprises suscitent la jalousie et se voient refuser d'instinct le bénéfice du doute. Rien n'est plus facile pour un patron que de s'acquérir une réputation de meneur de troupes hautain et au cœur dur. Mais être reconnu comme un humain qui s'est trompé un jour et qui a su s'en excuser crée une image tout à fait différente, une image que les spécialistes en communication et en relations publiques auront le plus grand mal à bâtir à l'aide de communiqués de presse.

Les excuses permettent ensuite de dépasser les problèmes et d'aller de l'avant. C'est important de nos jours dans les affaires où nous sommes submergés par les tâches, sans jamais avoir assez de temps et d'énergie mentale pour parvenir à toutes les réaliser. Il y a quelques mois, deux associés de mes connaissances se sont fâchés. L'un deux s'est excusé et a invité l'autre à souper et au cinéma. Invitation refusée. Des excuses et une réconciliation avaient été proposées. Le premier avait fait le nécessaire, il était allé de l'avant. L'autre était resté campé sur ses positions, avait refusé de présenter la moindre excuse, décliné la moindre proposition de contact social ou de rapprochement. On l'imagine brûlant d'amertume et de rage.

Cette situation était intéressante : alors qu'il y avait certainement eu faute de part et d'autre, un seul l'avait reconnu et pourtant, c'est pour lui que les choses se sont bien terminées. De nos jours, cette tactique est rarement adoptée, mais elle fonctionne vraiment, et c'est une solution qui permet de régler des disputes : celui qui présente le premier ses excuses sort gagnant. Tout simplement parce qu'il place le passé à l'endroit adéquat – derrière les deux personnes impliquées – et qu'il se concentre sur le domaine nécessitant leur attention : le présent.

La clé du fonctionnement d'une entreprise se situe dans les qualités personnelles de son dirigeant.

L'implication d'un personnage important dans un scandale provoque toujours un débat entre la vie privée d'un individu et sa fonction. En la matière, l'exemple le plus éloquent est sans doute celui des infidélités de l'ancien président américain Bill Clinton dans les années 1990, même s'il existe de nombreux autres cas, comme celui de la double vie privée de François Mitterrand.

Les révélations de ces événements sont inévitablement suivis d'éditoriaux dans la presse écrite qui font remarquer que nombre de dirigeants célèbres (à tous les coups, les journalistes paresseux nous ressortent l'exemple de J. F. Kennedy) avaient une incapacité flagrante à appliquer les valeurs de la société dans leur vie privée. S'ils gouvernent bien leur pays, en quoi le fait qu'ils mènent une vie privée dissolue entre-t-il en ligne de compte ? Ces articles sont souvent rédigés d'un ton plutôt véhément, laissant soupçonner qu'ils émanent d'un sentiment de culpabilité. Je ne peux m'empêcher de me poser des questions sur la vie privée de certains éditorialistes !

La lecture la plus superficielle de l'histoire nous montre que les vies privée et publique d'un individu sont liées. Lorsque Açoka pratiquait la violence, la violence régnait dans son royaume. Quand il s'est transformé en pacifiste, l'Inde s'est épanouie en un pays de progrès où la paix était prônée dans de nombreux domaines. Le dirigeant sert de modèle à ceux qu'il dirige.

Évidemment, les valeurs de la société évoluent. Açoka avaient plusieurs épouses, et Bill Clinton se serait sans doute mieux inséré dans un modèle de ce genre. À l'époque, c'était la norme. De nos jours, nous suivons les règles contemporaines. En ce qui concerne Clinton, on ne peut s'empêcher de se dire qu'un homme qui raconte des mensonges à sa femme et à son enfant – aux êtres les plus proches de lui, ceux qu'il aime le plus – ne peut inspirer confiance à personne d'autre. C'est une lapalissade : si vous mentez à votre famille, vous êtes capable de mentir au monde entier. Si un dirigeant peut tromper son enfant, il n'obtiendra jamais la confiance de ses employés, de ses adversaires ou des membres de son conseil d'administration. Un individu dont le comportement suggère qu'il se moque de blesser ou d'humilier sa propre famille ne sera pas perçu comme quelqu'un qui se soucie sincèrement de son personnel ou, dans le cas d'un dirigeant politique, des millions de familles qu'il n'a jamais rencontrées. Pour le dire sous une autre forme, un homme qui occupe le poste le plus important du monde, mais qui ne le trouve pas assez intéressant pour l'inciter à garder la fermeture Éclair de son pantalon fermée pendant quatre ans, n'a pas le cœur à son travail.

LE DÉCHIFFREUR DE CODES

L'homme qui décrypta le code le plus important de la recherche historique indienne n'était ni un spécialiste ni un historien. Il « faisait » de l'argent, au sens le plus littéral du terme : il travaillait à la Monnaie britannique de Calcutta dans les années 1830. James Prinsep était cependant un historien amateur enthousiaste et il parvint à décrypter un mystère qui déroutait tout le monde depuis des siècles.

Alors qu'il étudiait une écriture non déchiffrée gravée sur les rambardes de pierre d'un stûpa bouddhiste, il parvint à la conclusion, lettre par lettre, que la langue employée était une forme ancienne du pali, tel qu'il était utilisé au Maghada plus de deux millénaires auparavant. Après avoir passé des mois à transcrire ces symboles, il arriva à traduire un texte que personne n'avait probablement lu depuis des centaines d'années. De l'Inde entière, des historiens qui avaient eu vent de sa réussite lui envoyèrent des copies de textes qu'ils avaient aussi trouvés sur des rochers et n'avaient jamais été capables de traduire.

Au début, rien ne semblait relier cette vaste collection de textes gravés. Certains étaient situés sur des façades de falaises, d'autres sur des colonnes polies au point de luire, d'autres encore sur de gros rochers. Pour finir, des inscriptions du même genre furent découvertes dans des langues différentes.

En 1837, Prinsep annonça qu'il avait décrypté le code. Les historiens qui le suivirent parvinrent à tout traduire. Il s'agissait de très anciens écrits consistant apparemment en une série de lettres extraordinaires signées d'un homme qui s'appelait lui-même le Bien-aimé des dieux, le roi Piyadassi. Leur contenu avait quelque chose d'incroyable : ces textes gravés, effectivement très anciens, puisqu'ils remontaient à une époque antérieure au Christ, véhiculaient des sentiments évoquant la pensée humaniste contemporaine. Aucun Piyadassi ne figurait toutefois dans les annales des rois indiens. Qui était l'auteur de ce journal mystérieux, gravé dans la roche sur toute la superficie de l'Inde ?

Le lien provint du pays aujourd'hui appelé Sri Lanka, où d'anciennes sources bouddhistes racontaient l'histoire d'« Açoka connu sous le nom de Piyadassi », le grand roi indien qui envoya ses enfants apporter le bouddhisme dans l'île. Peu à peu, à l'aide de ces sources et d'autres, l'histoire d'Açoka fut entièrement mise à jour. Mais les « édits de pierre » demeurent la source essentielle – une série unique de lettres intimes rédigées par un gouvernant hautement éclairé du passé.

L'analyse de ce matériel a révélé qu'il s'agissait effectivement de lettres, dans le sens où elles étaient écrites, puis « postées » et envoyées. L'empereur avait engagé des équipes de graveurs pour les sculpter sur la plus belle des pierres extraites de la carrière de Chunar, à 150 kilomètres au sud de Varanasi. Pour avoir l'assurance que son message dépasserait les frontières de l'Inde, il l'avait ensuite fait traduire en plusieurs langues, dont l'araméen et le grec, langues de Jésus et des auteurs du *Nouveau Testament*. Les stèles étaient érigées en Inde, au Népal, au Pakistan et en Afghanistan. Le temps passant, le Bien-aimé des dieux tomba dans l'oubli. Le langage des rochers devint archaïque et finit par être totalement oublié aussi. Les histoires du roi Piyadassi furent égarées par l'histoire, jusqu'au jour où le remarquable exploit de décryptage de Prinsep déclencha une rafale de découvertes.

Açoka, perdu dans les oubliettes de l'histoire, a repris sa place proéminente. Le premier premier ministre de l'Inde indépendante, Jawaharlal Nehru, prit son symbole des quatre lions comme symbole de l'Inde, et la roue centrale devint le centre du drapeau indien. Cette roue bouddhique, mise en valeur par Açoka, est gravée sur les pièces de monnaies indiennes actuelles. Le règne d'Açoka fut célébré comme l'un des plus éclairés du monde. Des récits et des chansons le glorifient dans l'Inde entière et dans une certaine mesure, à l'étranger. L'écrivain britannique H. G. Wells le qualifie de « plus grand des rois ». Des films ont été tournés sur sa vie.

Açoka, au cours de la première partie de son existence, conquit Kalinga et d'autres pays. Au cours de la seconde, il parvint à laisser son empreinte pacifiste sur la plus grande partie du sous-continent, ainsi que sur un lieu lointain, beaucoup plus difficile à atteindre : l'avenir, postérieur de plus de deux millénaires à sa mort.

Je le définis comme un homme capable de faire passer son message. Il en aurait certainement été ravi. L'une de ses déclarations inscrites dans la roche dit : « Tous les hommes sont mes enfants. »

ATTEINDRE L'ÉQUILIBRE

Un jeune homme se lance dans la mission de résumer et de codifier les relations humaines. Il produit le *Kama Sutra*.

L'ÉTUDIANT EN THÉOLOGIE

Voici l'un des détails factuels les plus vrais que vous pouvez introduire dans une conversation : le livre le plus célèbre jamais écrit sur le sexe fut rédigé par un jeune étudiant en théologie – célibataire, de surcroît.

D'accord, cela est difficile à croire, et oui, nous devrions en découvrir plus sur lui. Pourtant, peu de faits sont avérés au sujet de cet auteur ou des raisons qui l'ont poussé à écrire l'un des plus célèbres ouvrages de tous les temps. Mais nous disposons d'un moyen de connaître son caractère : sa personnalité rayonne à travers ce livre unique qui a fait sa renommée universelle : le *Kama Sutra*.

Il s'appelait Vatsyayana et vivait il y a environ seize siècles, nous ne pouvons guère être plus précis. L'œuvre elle-même ne présente pas de date et aucune conclusion indiscutable n'a été atteinte par les personnes qui cherchent à découvrir son origine à partir de son contenu. Les spécialistes hésitent entre le troisième et le IVe siècle de notre ère. Certains attribuent à l'auteur le nom propre de Mallanaga, d'autres affirment qu'il s'agit du nom de quelqu'un d'autre. Ce nom est souvent raccourci en Vatsyana, voire en Vatsya. Nous allons adopter ce dernier, car il est court, net et très indien.

Vatsya était un rat de bibliothèque. Il étudiait la religion, probablement dans une université de Varanasi, cité considérée non seulement comme sacrée, mais comme le portail entre la terre et le ciel. On pourrait la comparer, dans la culture occidentale, au nuage sur lequel est assis saint Pierre devant les portes de Perles, un trousseau de clés à la main. Dans cette cité, les corps des morts étaient incinérés pour leur dernier voyage au fil du Gange sacré. Peu de choses ont changé au cours des siècles et, aujourd'hui encore, Varanasi conserve son statut de portail donnant sur l'autre monde. Naître ou mourir dans cette ville est considéré comme du meilleur augure, si bien que la route qui y conduit est bordée de files de deux genres de personnes qui se déplacent toutes très péniblement : des vieillards et des femmes enceintes jusqu'aux dents. À Varanasi, on ressent le fonctionnement du cercle humain de la vie dans toute son évidence.

Vatsya s'intéressa au grand corpus d'écrits religieux connu sous le nom de *kamasastra* ou « traité sur le plaisir ». (À ne pas confondre avec le *Kama Sutra*, que Vatsya finit par écrire.) Le *kamasastra* était une très importante collection de livres et de parchemins disponibles dans les bibliothèques des meilleures universités, y compris celle où il étudiait. Dans ce temps-là, il n'y avait nulle honte à s'intéresser à ce genre de sujet pour un jeune homme. Les coutumes érotiques n'étaient pas méprisées comme l'est aujourd'hui la pornographie presque partout, même si d'autres écrits laissent clairement entendre qu'un trop grand intérêt pour ce genre de sujet était considéré comme malsain. Vatsya n'était apparemment ni marié ni employé et il se consacrait « entièrement » à l'étude de Dieu.

D'où tenons-nous ces renseignements ? En grande partie, de la tradition, mais ils sont soutenus par des références explicites dans le texte. Ce dernier est direct et sans fioriture, Vatsya y indique clairement qu'il étudie la théologie. Nous pouvons donc en déduire qu'il n'était pas âgé (même si, comme son premier traducteur en anglais, sir Richard Burton, son attitude bien trop blasée montre qu'il ne pouvait pas être non plus dans la fleur de l'âge). Vatsya déclare qu'il consacre toute son énergie à « la contemplation du Tout-puissant », affirmation qui vient renforcer l'idée de son célibat. L'ouvrage présente en effet l'image générale d'un individu à l'esprit plutôt ouvert, fréquentant le département d'études religieuses d'une université, qui rédige des notes à propos de ses interrogations sur l'équilibre entre le *kama* (plaisir) et les autres éléments clés de la vie, dont le *dharma* (vertu) et l'*artha* (richesse matérielle). Ce problème est identique à celui qui préoccupait Chanakya, le premier personnage que nous avons abordé.

De plus, rien n'indique que le livre retrace des activités à propos desquelles Vatsya a effectué des recherches personnelles. Au contraire, il est évident qu'il compile les œuvres de tiers, et non qu'il rédige une autobiographie axée sur sa propre vie sexuelle. Il n'a rien d'un Henry Miller. Le livre a ainsi tendance à pencher vers un manque de côté pratique qui laisse entendre que son auteur n'a pas testé ses théories. Il semble par exemple avoir une idée très floue du fonctionnement de l'orgasme féminin et il croit qu'un mélange de semence mâle et de « semence femelle » est émis pendant l'acte sexuel et déclenche la reproduction. Cette naïveté est néanmoins plus qu'équilibrée par son interprétation nuancée des relations entre les êtres.

Bien qu'ayant vécu il y a 1600 ans, Vatsya avance l'idée très moderne que le sexe ne sert pas uniquement à fabriquer des bébés : il est source de plaisir en soi. (Nous pouvons lui pardonner son ignorance à propos du mécanisme de reproduction. Le seul point de vue accepté à l'époque et ultérieurement pendant des siècles était celui avancé par Aristote il y a presque 2500 ans : les femmes produisaient le matériau physique nécessaire au nouveau bébé et les hommes, la « force vitale » qui l'animait et l'aidait à se développer.)

Contrairement à nombre d'Indiens influents présentés dans notre livre, Vatsya n'était pas un innovateur. Il suivait des sentiers battus. Les innovations ne sont cependant souvent que de meilleures copies d'originaux. Le domaine du *kamasastra* était déjà bien établi et avait attiré l'attention d'un grand nombre d'érudits avant lui. La différence entre ce spécialiste et d'autres individus s'intéressant à des ouvrages traitant des connaissances charnelles de la bibliothèque de l'université était la suivante : lui seul, apparemment, reconnaissait que passer au crible cette énorme somme de connaissances et la représenter sous une forme abordable pour la communauté présentait une immense valeur. Il voulait la rendre accessible. Il voulait la mettre à la disposition d'un large public. Il voulait la valoriser en la dégrossissant. Il était ce que nous appellerions aujourd'hui un « reconditionneur ».

Cette idée dans un coin de l'esprit, il entama la lecture de l'ensemble des connaissances sur le sujet, dans le but d'en tirer un condensé. Comme tout bon chercheur moderne, il savait que la première étape consisterait à comprendre à fond la pensée historique et actuelle concernant le domaine de son choix, afin d'être capable de la résumer et de faire avancer le débat. Il découvrit qu'il n'était pas seul à avoir eu l'idée de rendre le folklore érotique accessible. D'autres livres résumant ces informations existaient déjà et certains d'entre eux, considérés comme très complets, étaient célèbres depuis des dizaines, voire des centaines d'années.

Il en dénicha des exemplaires, dans son université ou ailleurs. Il put constater qu'aucun de ces ouvrages – ou en tout cas aucun de ceux sur lesquels il était parvenu à mettre la main – ne ressemblait à celui qu'il envisageait d'écrire. Aucun n'était bref, pratique et accessible. Plus il avançait dans ses recherches, plus Vatsya acquit la conviction que son idée aurait du succès. Les relations et la sexualité tenaient une place énorme dans la vie des êtres humains. Un livre, résumant avec précision la vaste somme d'informations en circulation sur ce sujet, ne pouvait qu'avoir du succès.

Il mena ses recherches méticuleusement et nous pouvons émettre l'hypothèse qu'il resta interdit par la simple échelle de ses découvertes. Ses premières sources furent les vieux professeurs de théologie et les bibliothèques de son université. D'eux, il apprit que la compilation de faits sur l'amour et le plaisir remontait au commencement des temps. D'après les légendes, le Seigneur de l'Existence avait exposé toutes les règles de la vie dans un ensemble de livres comprenant plus de 100 000 chapitres. Personne n'en possédait la version complète, mais au fil de l'histoire, des individus avaient été chargés d'effectuer la compilation de parties spécialisées. Par exemple, la section sur le *dharma* avait été compilée par un certain Swayambhu Manu. Les chapitres concernant l'*artha* étaient de la main d'un dénommé Brihaspati. Et la partie qui l'intéresse, sur le *kama*, traduisible par l'expression plaisir sensuel, avait été compilée par Nandi, le taureau sacré, dans un unique document de 1000 chapitres. On racontait que Nandi avait eu l'idée de faire cette compilation séparée sur la sagesse sacrée de l'amour après avoir entendu par hasard deux dieux faire l'amour.

Le livre de 1000 chapitres de Nandi sur l'amour, trop long pour être utilisé par tout le monde, fut résumé par Shvetaketu, fils de Uddvalaka. Ce dernier raccourcit l'ouvrage du dieu bovin à 500 chapitres, lesquels se révélèrent également très vite beaucoup trop longs pour un usage général. Ce résumé fut par conséquent resserré par un certain Babhravya, qui avait hérité de terres au sud de Dehli et qui vécut probablement de ses revenus fonciers pendant qu'il effectuait cette remise en forme du texte. Il le réduisit à 150 chapitres.

Vatsya parvint à se procurer un exemplaire du livre de Babhravya, alors qu'il n'en existait plus de complet des versions précédentes, en particulier de celle du taureau sacré. Mais l'étudiant continua à suivre cette piste et découvrit que le processus d'édition avait changé de direction après Babhravya. Jusqu'à cette version, les « extraits choisis » avaient diminué. Ensuite, la compilation de connaissances sur l'amour recommençait à s'étoffer. L'ouvrage de 150 chapitres de Babhravya avait été édité en sept parties classées par thèmes : Sur l'Art de la séduction, Sur la Manière de traiter son épouse, Sur le Comportement avec les épouses des autres, Sur les Courtisanes et ainsi de suite. Ces sections furent séparées et confiées à interpréter à sept érudits chargés d'en faire les commentaires. Chacun transforma la sienne en un livre propre.

Vatsya rassembla méticuleusement le plus grand nombre d'exemplaires de ces ouvrages. Les difficultés qu'il éprouva pour amasser la pile de matériel et la lire ne purent que le conforter dans l'idée qu'il était sur la bonne piste. Il serait intéressant de disposer « d'un petit volume qui résumerait les ouvrages des auteurs cités ci-dessus », écrivit-il dans ses notes.

LA RÉDACTION D'UN CLASSIQUE

Quand il eut achevé de lire et de digérer tout ce matériel, Vatsya entama sa rédaction. Nous ignorons combien de temps lui fut nécessaire, mais il parvint à un résultat bref, écrit dans un langage percutant et lisible : un ouvrage composé de sept chapitres épais, dont chacun comportait entre deux et dix sous-chapitres, et dont l'ensemble pouvait être lu en une journée.

Avant d'aller plus loin, nous devons dissocier l'ouvrage que nous décrivons de la version largement connue du *Kama Sutra* diffusée en Occident. Ce volume n'est en gros qu'un catalogue de positions sexuelles. La culture occidentale comprend de nombreuses références au *Kama Sutra,* dans les livres, les films et sur les sites Web. Dans presque tous les cas, la liste des postures dans lesquelles peuvent copuler un homme et une femme est présentée comme s'il s'agissait de la totalité de l'ouvrage d'origine. En fait, cette liste de positions existe bel et bien dans le *Kama Sutra,* mais elle n'en forme qu'une petite partie. Elle constitue la subdivision d'un chapitre. Le reste du livre propose une discussion très large au sujet de la philosophie des relations humaines et aborde un grand nombre d'autres sujets.

De plus, la tonalité lascive associée de nos jours à la lecture du *Kama Sutra* est à côté de la plaque. Cet ouvrage n'a absolument rien d'érotique. Il s'agit d'une compilation de faits, effectuée par un homme qui considérait les questions éthiques et religieuses comme fondamentales. Cela ne signifie pas que sa lecture n'est pas révélatrice et qu'elle n'a rien d'excitant. La liste des positions de copulation est ironiquement d'une lecture plutôt barbante et antiérotique. Cependant, dans les autres chapitres, les parties inévitablement enlevées comportent des discussions vraiment érotiques sur le plaisir d'embrasser, de mordre, de griffer, de pratiquer des attouchements « involontaires » et sur l'art subtil de la séduction.

Vatsya, quand il eut commencé à écrire, fut sans doute lui-même étonné par l'échelle de son ouvrage. Ce dernier évoque par exemple des problèmes qui anticipent le calvinisme, comme la prédestination des êtres à la richesse ou à la pauvreté. « Les personnes qui pensent que le moteur essentiel de toutes choses est le destin disent : " Pourquoi devrait-on travailler pour s'enrichir ? On peut travailler dur et néanmoins

échouer. Ou on peut ne pas travailler du tout et bénéficier d'une au-
baine. Le destin est le seigneur du gain et de la perte, de la réussite et de
la défaite, du plaisir et de la douleur. " »

Vatsya affirme que cette réflexion défaitiste doit être évitée : « Vous
devez vous dépenser pour obtenir n'importe quoi dans la vie ; il s'agit
d'un principe de base. Si vous voulez beaucoup, vous devez donner
beaucoup de vous-même, et ce principe demeure vrai, même si vous
êtes destiné à réussir. »

Vatsya fit l'objet de critiques de la part de ceux obsédés par la création de la richesse, les spécialistes de l'*artha*, parce qu'il passait trop de
temps à travailler à ce guide du plaisir. Selon eux, se concentrer sur le plaisir mettrait les érudits en contact avec des « gens de basse extraction » et
les inciterait à vivre dans le péché. De plus, les gens qui consacraient leur
vie au plaisir perdaient le respect des autres et finissaient en général mal.

Le sage reconnut qu'il était juste d'associer ces dangers à l'intérêt
montré à l'égard des plaisirs physiques, mais il avança que leur existence
n'était pas une raison suffisante pour s'en priver complètement. « On
ne renonce pas à cuisiner son dîner pour la bonne raison qu'on risque
d'attirer un mendiant qui vous demandera de le partager. On ne s'abs-
tient pas de semer des graines parce que le daim risque de les manger »,
répliqua-t-il. La chose juste consistait à mener une vie équilibrée. Différents éléments étaient nécessaires pour ce faire, en particulier les trois
principaux : le *dharma*, l'*artha* et le *kama* ou la vertu, les possessions
matérielles et le plaisir.

Au fur et à mesure, son livre continue à changer de cap. Dans certaines parties, il ne se contente pas de résumer des idées mais il effectue
des déclarations controversées, dont le fait que les femmes, non seulement celles qui sont mariées, mais les jeunes filles aussi, devraient le lire.
Cet argument suscita la colère des hommes qui estimaient que ces
connaissances ne convenaient qu'à leur sexe. Vatsya se moqua de cette

prise de position étriquée. Après tout, les hommes avaient besoin des femmes pour les relations sexuelles traditionnelles. Il se rendait compte que les femmes connaissaient naturellement un grand nombre de lois concernant les rapports, même si leur savoir était peut-être d'ordre moins scientifique que celui des hommes. On ne peut empêcher les femmes de connaître l'histoire des relations sexuelles, « car les femmes connaissent déjà le *Kama Sutra* ». On peut devenir expert dans un certain domaine du simple fait de l'appliquer, sans avoir besoin d'en connaître les termes scientifiques, précise-t-il.

Attention, Vatsya était un homme bien éduqué, convenable, contrarié par l'idée indécente que cet enseignement soit prodigué aux jeunes filles et aux femmes par des hommes plus âgés. Il souhaitait que les épouses demandent au moins la permission à leur mari avant de le lire. Il leur suggérait de l'étudier en groupe ou en présence d'une intime.

Le livre aborde une vaste panoplie de sujets et débute par des parties portant des titres comme « La Conduite du Citadin bien élevé ». Cette section présente une esquisse de la journée idéale de la vie d'un homme raffiné et propose beaucoup de conseils d'ordre général : « Se raser la tête tous les quatre jours », mais « se laver les aisselles tous les jours ». Il comprend une partie intitulée « L'Acquisition d'une épouse », qui prévient le lecteur de s'assurer que la femme est détendue au moment où elle lui est présentée. Ne pas se pavaner ni fanfaronner. S'assurer qu'elle ne se sent pas menacée. Des parties concernent les attouchements : « Câlins et caresses » et « L'Art de gratter ». Il inclut aussi des conseils d'ordre pratique, tels que « Le Rôle des messagers » et « Comment chercher une maîtresse stable ».

La plus grande partie de l'œuvre traite du bon comportement et comprend des listes copieuses de femmes qui ne devraient pas être abordées pour le sexe (comme celle de votre voisin ou l'épouse du roi). Vient ensuite la section mal famée sur les positions sexuelles. Si certaines d'entre elles sont très créatives, elles comportent un curieux élément d'ordre mathématique. Il prétend qu'il existe 8 positions et 8 mouvements de base, équivalant à 64 façons de s'y prendre.

Alors que l'érudit avait l'intention de consacrer son temps à résumer les ouvrages d'autres que lui, il se retrouva vite en train de les couper, d'y faire des ajouts et de les censurer. Il n'était pas d'accord sur de nombreux points. Parvenu à un certain stade de son travail, il constata qu'il ne pouvait pas garder ses opinions pour lui et il commenta les données qu'il transcrivait. Dans plusieurs passages, il cite des ouvrages de l'école de Babhuravya et explique ensuite au lecteur pourquoi les experts ont tort. Il commence par : « Les disciples de Babhuravya disent… » Puis, se référant à lui-même à la troisième personne, il ajoute : « Mais Vatsyayana dit… »

Par-dessus tout, Vatsya recommande d'avoir une bonne éducation – et de façon inhabituelle pour cette époque, il estime que cela est particulièrement nécessaire pour les femmes. Il établit de longues listes des « Choses que les gens devraient connaître ». Il les considère comme « les arts ». Ces derniers ne comprennent pas uniquement les domaines classiques familiers des femmes, tels que la musique, la cuisine, la couture et la fabrication des parfums, mais également la pratique de la sorcellerie, la prononciation de phrases très difficiles, le port d'accessoires, la production d'airs de musique en faisant tinter des verres d'eau et la « fabrication de perroquets avec de la laine ». Une grande culture équivaut selon lui à une police d'assurance contre la malchance. « Si une femme se retrouve séparée de son mari et dans une situation précaire, elle pourra s'en sortir facilement, y compris dans un pays étranger, en utilisant sa connaissance de ces arts », disait-il. « Leur simple connaissance basique rend une femme séduisante, même si leur mise en pratique dépend de chaque circonstance particulière. »

Il recommande aussi aux hommes de se cultiver dans tous les domaines artistiques possibles, car ils y trouveront l'un des meilleurs instruments à leur disposition pour séduire les femmes. « Un homme versé dans ces arts, beau parleur et habitué à se conduire avec galanterie conquiert rapidement le cœur des femmes, même s'il les connaît depuis peu. »

Il souligne l'importance de l'éducation en insistant sur l'existence, dans l'Inde de cette époque, des *pithamardas* : des hommes ne possédant aucune richesse hormis leur culture. Nous pouvons voir en ces individus des « professeurs aux pieds nus » qui s'attachent à des mécènes fortunés. « Un *pithamarda* est un homme sans richesse, seul au monde, qui ne possède en tout et pour tout que son bâton, son savon et sa serviette, qui est originaire d'un bon pays et qui est doué pour tous les arts ; grâce à l'enseignement de ces arts, il est reçu parmi les citoyens et sous les toits de femmes publiques. »

À cette époque, les femmes étaient divisées en deux catégories : privées et publiques. Les privées étaient celles que l'on épousait, issues de familles des castes moyenne et supérieure. Les publiques étaient des courtisanes, mais contrairement à aujourd'hui, on ne les considérait pas avec mépris comme des prostituées. Il s'agissait de femmes séduisantes, libres d'esprit, qui échangeaient à la moindre occasion les rôles traditionnels d'épouse et de mère contre la liberté d'une vie indépendante.

En général, ces professionnelles travaillaient un certain temps pour des hommes fortunés. Elles étaient entièrement libres d'avoir recours à tous les artifices pour rendre les hommes amoureux d'elles et les dépouiller ensuite de tout leur argent. C'était même leur devoir, déclare Vatsya. « Le devoir d'une courtisane est de forger des relations avec des hommes adéquats, après avoir bien pesé la situation, de leur donner l'impression qu'ils entretiennent avec elle des liens étroits, puis de s'emparer de tout leur argent et de tous leurs biens avant de s'en débarrasser. » Cet argument présente une signification sous-jacente plutôt moderne, surtout si nous le traduisons en langage familier contemporain. En fait, il dit à ses lectrices qui ont choisi le rôle de femme indépendante : « Il s'imagine qu'il vous baise, mais vous devriez le baiser. »

Cependant, tout le monde – courtisanes incluses – est censé vivre selon les règles du *dharma*. Il suggère aux courtisanes qui gagnent beaucoup d'argent d'en consacrer une partie à la construction de temples, de parcs et à d'autres desseins servant au culte de Dieu.

Vatsya était un homme méticuleux. Les ouvrages pratiques incitant les hommes à être forts et virils ne lui correspondaient pas du tout. Il se répand au contraire en détails fastidieux sur la manière de faire la cour à une femme. Il recommande à un homme de s'organiser pour rencontrer une femme dont on est épris lors de réunions mondaines, puis de lui faire comprendre tacitement qu'elle l'intéresse : « L'homme devrait la regarder de façon à lui faire deviner son état d'esprit ; il devrait tirer sur sa moustache, faire du bruit avec ses ongles, faire tinter ses bijoux, se mordre la lèvre inférieure et avoir recours à tout autre signe de ce genre. »

Le secret, pour gagner le cœur d'une femme, c'est d'avoir de l'esprit. « Une conversation à double sens doit se dérouler », recommande-t-il. Des signaux subtils et un humour efficace, tels sont les outils qui permettent de conquérir le cœur de la personne qui nous plaît, affirme le *Kama Sutra*. Et n'oubliez pas de tirer sur votre moustache et de faire tinter vos bijoux…

Plusieurs des ouvrages qu'il résume évoquaient les manières dont les personnes fortunées pouvaient avoir une liaison. Le pouvoir était un aphrodisiaque en soi, et les gens de pouvoir pouvaient maîtriser les situations et employer des intermédiaires pour faire fleurir une liaison autrement qu'elle ne s'épanouirait naturellement. Les rois se sentaient en droit d'avoir des rapports avec toute personne qui leur plaisait. Dans certains fiefs qui constituaient l'Inde, les dirigeants pouvaient exiger le droit de cuissage sur n'importe quelle femme – épouses, filles, voire jeunes mariées.

Vatsya admet qu'il s'agit d'une mauvaise pratique. D'après lui, elle attire les ennuis. Il évoque des exemples de dirigeants qui se sont introduits chez des gens pour badiner avec leurs épouses. « Abhira, roi des Kotta, fut tué par un blanchisseur pendant qu'il se trouvait chez un tiers et de la même façon, Jayasana, roi des Kashi, fut assassiné par le commandant de sa cavalerie. »

Dans les villes plus raffinées, les principes mis en place par les dirigeants du passé, essentiellement durant le règne du clan Maurya, limitaient en fait le pouvoir des gouvernants. Ni les rois ni leurs principaux ministres n'étaient autorisés par la loi à pénétrer dans les domaines des propriétaires terriens. Ils ne pouvaient pas non plus demander à avoir des relations avec les femmes ou les filles de leurs sujets. Si un homme puissant était attiré par l'épouse d'un autre, il devait la séduire.

Vatsya suggère de confier à un messager le soin de faire connaître les souhaits du roi à la femme en question et de lui donner l'assurance : (a) des cadeaux généreux qu'elle recevra si elle est consentante, (b) du fait que la chose sera tenue secrète. Si la femme refuse sa proposition, elle doit quand même recevoir un présent, et le messager doit la quitter en bons termes. Autrement dit, les femmes sont en droit de répondre *non*.

Cependant, après avoir dressé la liste des différentes manières qu'ont les hommes fortunés et puissants de conquérir le cœur d'épouses d'autres hommes, Vatsya parvient à la conclusion qu'aucune d'entre elles n'est à conseiller, car les classes gouvernantes ont pour devoir important de donner l'exemple. « Leur mode de vie est constamment observé et scruté par la populace. Quand les animaux voient le soleil pointer, ils se lèvent ; quand ils le voient se coucher le soir, ils font de même. Les êtres humains ne sont pas différents. Par conséquent, ceux qui détiennent l'autorité ne devraient en public commettre aucun acte indécent, susceptible d'être censuré ou dépassant ceux autorisés en vertu de leur position. »

Vatsya conclut cette section sur l'art de séduire les femmes des autres par une virevolte complète, en faisant remarquer que les bons gouvernants ne souhaitent rien faire de tout cela. Nous avons presque l'impression de l'entendre nous questionner : *De toute façon, pourquoi lisez-vous ce chapitre ?* « Les moyens ci-dessus, et d'autres, sont ceux utilisés en maints endroits par des dirigeants qui désirent avoir des relations avec les épouses d'autres hommes. Mais un gouvernant qui se soucie du bien-être de son peuple ne devrait en aucun cas les mettre en pratique », écrit-il. « Un dirigeant qui a conquis les six maux de l'humanité devient le maître de la terre entière. » En Inde, il y avait six « péchés mortels » : la luxure, la colère, l'avarice, l'ignorance spirituelle, l'orgueil et l'envie.

En raison peut-être de sa culture religieuse, Vatsya était un homme avec des principes moraux qui ne se laissait pas influencer par le genre de ruse malhonnête que Chanakya aurait applaudi. Il fut scandalisé d'apprendre que les disciples de Babhravya recommandaient d'employer, moyennant finances, une jeune cancanière pour bavarder avec sa propre épouse et découvrir ses secrets, comme sa chasteté. Vatsya déclare que des pièges de ce genre étaient immoraux : comment peut-on attirer une personne vers le bas et la condamner ensuite d'être tombée ? « Un homme ne devrait pas être à l'origine de la corruption de son épouse innocente en lui faisant fréquenter une femme rouée », dit-il.

Tout compte fait, les relations contiennent une grande part de mystère. Les femmes possèdent une grande subtilité, écrit-il, et une « intelligence innée ». On ne peut pas les comprendre entièrement. « On connaît rarement les femmes sous leur vrai jour, bien qu'elles puissent aimer les hommes ou leur devenir indifférentes, leur procurer du plaisir ou les abandonner ou leur extorquer toute la richesse qu'ils ont accumulée. »

Pris comme un tout, le *Kama Sutra* n'est donc pas un ouvrage sur l'érotisme, mais une ouverture fascinante sur la politique des relations entre les êtres dans la société indienne du IVe siècle de notre ère.

Vatsya insère un avertissement sévère à la fin de son livre : « Cet ouvrage ne doit pas uniquement servir d'instrument pour satisfaire nos désirs. » Il explique que les autres parties essentielles de la vie d'une personne (à savoir la vertu et les possessions matérielles ou le *dharma* et l'*artha*) sont plus importantes que le plaisir – *kama*. Si un homme établit l'équilibre entre ces trois facteurs « sans devenir l'esclave de ses passions, il réussira dans toutes ses entreprises ». Il ne s'agit donc pas du traité sur le sexe imaginé par presque tout le monde, mais d'un livre sage, courageux, distrayant et instructif.

LES ÉLÉMENTS DE VOTRE VIE

Selon Vatsya, nos actions se reflètent de trois manières. Il peut s'agir de *dharma* – de devoirs positifs qui augmentent la quantité de vertus dans le monde. Il peut s'agir d'*artha* – elles peuvent augmenter vos possessions matérielles. Ou alors il s'agit de *kama* – des choses faites uniquement par quête de plaisir.

Vatsya s'inquiète de ne pas voir les êtres équilibrer ces trois éléments mais en privilégier plutôt un par rapport aux autres. Selon lui, il s'agit là d'une mauvaise attitude. Nous pouvons certainement trouver aussi facilement aujourd'hui qu'à son époque des exemples de vie mal équilibrée.

Trop de *dharma* : je me souviens d'une longue réunion avec une travailleuse humanitaire qui avait un projet magnifique, très attirant, consistant à envoyer de l'aide là où elle était désespérément nécessaire en Asie du Sud. Les directeurs de son organisation de bienfaisance ignoraient malheureusement tout de l'économie et des principes de gouvernement (de l'*artha*, dans le sens où Chanakya aurait utilisé ce mot). L'une des tâches de cette travailleuse consistait à collecter assez d'argent pour recevoir un salaire. De toute évidence, ce projet traînait un boulet. Collecter de l'argent pour les nécessiteux et en rassembler pour soi étaient deux objectifs très différents, provenant de motifs différents et nécessitant des techniques commerciales différentes. Pire encore, on pouvait très facilement trouver une forme d'indécence dans son travail, puisque l'association était organisée de telle sorte qu'à côté du soutien aux nécessiteux, elle l'obligeait à empocher une partie des fonds amassés.

Dans la mesure de mes moyens, j'ai offert de l'aide à cette organisation caritative sur la base d'une opération après l'autre, mais je ne me suis pas lié trop étroitement à elle. J'ai simplement incité ses dirigeants à en apprendre davantage sur la manière dont devait être structurée une association de bienfaisance. Il s'agissait clairement d'une entreprise débordant de *dharma*, dans le sens de bonne volonté, mais sans suffisamment d'*artha*, à savoir de sens de l'économie.

Trop de *kama* : cela est malheureusement fort répandu. Nous sommes inondés par le principe du plaisir. On nous exhorte à faire des choses, non pas parce qu'elles sont justes, mais parce qu'elles sont amusantes. Nous finissons par croire que nous ne sommes pas obligés de faire quoi que ce soit qui ne soit pas divertissant. Dans l'école que fréquentent mes enfants, les parents ont été priés de collecter des fonds destinés à l'achat de tableaux blancs informatisés interactifs pour les salles de classe. Les enseignants déclaraient : « Cela augmente *l'effet de surprise* de nos leçons. » En même temps, les éducateurs publiaient des rapports à propos des soucis que leur inspiraient le taux élevé d'hyperactivité et la faible concentration des élèves. Les très jeunes ont perdu la capacité de se perdre dans la lecture d'un gros livre.

Certains parents prirent alors conscience que c'était le surplus d'« effet de surprise » et non son manque qui créait ces problèmes. De nos jours, les jeunes sont étonnés quand ils se voient dans l'obligation d'accomplir une chose qui n'est pas entièrement motivée par le plaisir. Ils s'ennuient dès que leur panoplie de jouets numériques s'éteint pendant cinq minutes. Que faisons-nous dans ce cas ? Nous leur achetons des baladeurs DVD et des IPod pour qu'ils ne restent jamais, jamais seuls avec leurs pensées. Nous ne réalisons pas que ces moments précieux où un enfant se retrouve seul à réfléchir comptent parmi les plus importants de sa vie, ceux où il grandit, où il résout les problèmes, où il forge sa personnalité, où il gagne en intelligence émotionnelle et développe cet élément des plus insaisissables mais essentiel appelé caractère. Quand un enfant déclare, « Je m'ennuie », souriez. Tendez-lui un coussin, un verre de lait, faites-le regarder par une fenêtre ou donnez-lui une tâche intéressante à accomplir ou un livre d'images à consulter. Nourrissez son *dharma* au lieu de son *kama* pendant un moment.

Trop d'*artha* : ce problème est tellement endémique que j'ai à peine besoin de l'évoquer. Les exemples pullulent autour de nous. Je dirais que de nos jours, la majorité des entreprises sacrifient leur éthique à leur envie de faire des bénéfices. La phrase type qui définit cette attitude est « rechercher l'intérêt des actionnaires ». Chaque fois que vous tombez sur cette expression ou sur ce concept formulés autrement, vous constaterez que quelqu'un cherche des excuses pour accomplir quelque chose de négatif au nom du profit. Cette expression est un avertissement. Prenez vos jambes à votre cou pour vous éloigner de quiconque la prononce.

Il s'agit d'un code, à peine voilé, sous lequel se cache une action négative : ils ont viré une grande partie du personnel après avoir promis aux employés de ne pas procéder à des dégraissages supplémentaires ; ils ont laissé tomber leurs projets *pro bono* ; ils ont annulé leur commandite après avoir promis de consacrer de l'argent à l'éducation, aux arts ou aux sports ; il ont constaté le conflit entre mettre en œuvre l'action adéquate et faire des bénéfices, et ils ont choisi d'augmenter leurs profits. Parfois, ils se rendent compte que nous comprenons leur véritable discours et ils se défendent d'un ton coupable : « Nous sommes légalement obligés de veiller aux intérêts de nos actionnaires ». Il ne s'agit que d'un moyen d'esquiver le problème, en impliquant que tous les actionnaires exigent automatiquement qu'une entreprise favorise le bénéfice par rapport à l'éthique, ce qui n'est manifestement pas véridique. Actuellement, le culte du résultat financier est si grand que sa célébration l'emporte sur tous les autres facteurs. Ces gens d'affaires font du mal au *dharma* au nom de l'*artha*.

Bien que présentant ces trois facteurs comme un trio de lumières phares, Vatsya se décarcasse pour les classer en ordre hiérarchique. Le *dharma* arrive en tête et doit garder cette position, affirme celui qui en est l'apôtre. Faites votre devoir et assurez-vous que ce qui est juste passe avant et par-dessus tout le reste. L'*artha* occupe la deuxième place : si vous ne vous occupez pas de vos besoins matériels, vous vous désavantagez. Ce n'est que lorsque vous disposez d'un toit et de vivres que vous pouvez vous tourner vers autre chose. Le *kama* vient en troisième place dans cette liste de priorités. Si vous devez sacrifier quelque chose, c'est le temps que vous réservez au plaisir. Même s'il déclare que le *kama* est « aussi nécessaire au bien-être que la nourriture », il tient à ce que les gens sachent qu'ils doivent avoir des priorités.

Dans la société actuelle, nous avons mal organisé les choses. L'*artha* et le *kama* sont placés au-dessus de tout. La télé nous bombarde de reportages sur le mode de vie des milliardaires et nous narre avec force détails comment nous habiller comme eux, décorer nos foyers à l'image des leurs et préparer nos repas comme le font leurs chefs. La fortune et le plaisir sont tout. Les magazines et les journaux regorgent de détails sur le niveau de vie décadent des célébrités. Il y a quelques années, les journaux réservaient un espace minuscule à une rubrique intitulée « Pensée du jour ». Un centimètre ou deux consacrés à une petite dose de *dharma*. Elle a presque disparu. Un simple centimètre, c'est déjà trop de place.

Aujourd'hui, des usines sont consacrées à la fabrication de voitures conçues de manière à fonctionner à leur maximum au-dessus de la limite de vitesse autorisée. Pourquoi ? Parce que les consommateurs en ont envie : elles sont tape-à-l'œil, *cool*, onéreuses, et, de toute façon, qui se soucie du code de la route ? Les règlements ne sont là que pour protéger les pauvres et les idiots, et tout le monde s'en contrefiche. Notre planète est régie par le principe du profit et par celui du plaisir. La vertu et le devoir sont considérés comme des termes archaïques, ne convenant qu'aux excentriques religieux et aux personnes désespérément vieux jeu. L'éthique est réservée aux jeunots, aux gauchistes ou aux esprits confus. Qu'en est-il des appels de Vatsya à une vie équilibrée ? Tous ont été exclus des versions en circulation de son œuvre.

LES LEÇONS DE VIE D'UN SPÉCIALISTE DU SEXE CÉLIBATAIRE

Comme Chanakya, le premier gourou de la gestion au monde, et Açoka, l'empereur de la paix, Vatsyayana nous offre deux chemins pour partager sa sagesse. Sa vie et son œuvre nous proposent une inspiration et ses écrits constituent une source supplémentaire de leçons d'une grande valeur. Mais un principe de la vie de ce jeune homme ne peut pas être négligé :

Une seule bonne décision peut écrire l'histoire et transformer votre vie.

Ce principe est l'un des plus redoutables et, en même temps, des plus motivants qui guide l'ambitieux. Il est déjà assez difficile de prendre une bonne décision, mais dès que l'on réfléchit à toutes les répercussions possibles, on peut se laisser submerger par ces éventualités. Vais-je connaître une réussite fantastique si je m'engage dans cette entreprise ou dans celle-là ? Est-ce que je gagnerai gros si j'entre dans une grande boîte ou si je me lance tout seul ? Pour être un gagnant, dois-je me concentrer sur tel ou tel service ? Laquelle de mes idées de livre va-t-elle se transformer en best-seller international ?

Ces questions sont toutes pertinentes, elles sont toutes significatives, mais elles devraient toutes être ignorées. Toute question dont la réponse n'est qu'une lecture hypothétique de l'avenir est inutile. Elle exerce en fait une influence négative, qui ne réussit qu'à vous distraire. Nous revenons au principe selon lequel on doit vivre au présent et non dans l'avenir, et certainement pas dans le passé. Comme Arjuna, on doit concentrer toute son énergie sur l'instant et sur les problèmes du moment. Assurez-vous de bien assimiler ces facteurs : ils vont dévorer toute votre énergie et ils sont les seuls qui comptent. Si vous vous occupez du présent, de maintenant, de l'instant que vous vivez, l'avenir s'occupera tout seul de lui-même.

Cela ne signifie toutefois pas que vous ne devez pas faire de projets ; pas du tout. En effet, vos objectifs devraient constituer l'un des facteurs clés à partir desquels vous prenez vos décisions actuelles. Les projets à long terme passent donc *avant*, et non après, les décisions à court terme. Trop de personnes se laissent aller au fil de l'eau sans s'interroger une seconde sur l'existence qu'elles mèneront plus tard. L'une des grandes leçons de la *Bhagavad-Gîtâ* consiste à attendre l'inévitable.

Cela paraît clair comme de l'eau de roche, et pourtant, peu le font. Nous savons que nous ne pouvons éviter de vieillir, et pourtant nous sommes nombreux à ne pas cotiser à un REER. Nous savons que des concurrents tenteront inévitablement de s'insérer dans notre créneau, mais rares sont ceux d'entre nous qui consacrent du temps et de l'énergie à l'innovation et à l'élargissement de leur marché pour pouvoir augmenter leur clientèle. Nous savons que le nouveau produit enthousiasmant d'aujourd'hui se transformera inévitablement en produit démodé et pourtant, nous sommes peu à dépenser l'énergie nécessaire à réinventer nos produits, nos services ou nos propres personnes, à tout maintenir en état de fraîcheur et de nouveauté.

Il suffirait, pour éviter toutes ces crises, d'accepter simplement l'arrivée de l'inévitable ; d'accorder un peu de réflexion à l'avenir, d'affronter la réalité. Ce principe s'applique à tous les fabricants, qu'ils produisent de la soupe en conserve ou qu'ils écrivent des chansons pop. Ne vous inquiétez pas de savoir si la chanson que vous avez composée vous rendra ou non célèbre. Ce n'est pas votre mandat. Votre public en décidera. Ayez plutôt une vue globale de votre carrière ; réfléchissez à la manière dont vous pouvez utiliser vos talents (vous produire sur scène, enregistrer ou enseigner) et à celle dont vous pouvez vous assurer une retraite intéressante.

Ces décisions prises, divisez votre carrière en petits morceaux : ce que vous devez faire dans les dix années à venir, ce que vous devez faire cette année, ce que vous devez faire ce mois-ci, cette semaine, aujourd'hui. Vous vous apercevrez que votre tâche du jour consiste à composer un morceau de musique qui servira de générique à une émission télévisée. Cet air vous apportera peut-être la gloire. Ou alors pas. Il ne s'agit pas d'une question que vous pouvez maîtriser. En revanche, vous pouvez produire ou non un travail de qualité. Assurez-vous donc qu'il s'agit d'un air formidable, de votre meilleure composition à ce jour. Si vous focalisez toute votre énergie sur l'acte et non sur ses répercussions, vous atteindez plus facilement votre objectif de la journée. Atteindre votre but pour cette période de vingt-quatre heures est la démarche que vous devez effectuer chaque jour pour aboutir aux objectifs que vous vous êtes fixés dans la vie.

Vatsya n'avait pas l'intention de faire rayonner son nom à travers l'histoire, mais il savait qu'un ouvrage essentiel sur des sujets ayant fait l'objet de nouvelles recherches donnerait forme à sa carrière universitaire. Son travail lui vaudrait peut-être un titre de professeur. Il se fixa donc une tâche claire, qui représentait un lourd défi. Il devait rassembler des documents censés former une ligne droite depuis le début des temps.

Il ne disposait ni de bases de données ni de connexion Internet. Il n'avait que la bibliothèque de son université et les ouvrages des autres institutions avec lesquelles il pouvait entrer en contact. Aller chercher un livre dans une autre université exigeait des journées ou des semaines de voyage. Cela ne l'empêcha pas d'écrire son livre qui s'est transformé en un classique ayant survécu à l'épreuve du temps.

Comment mieux envisager l'avenir qu'en se concentrant sur le présent ? Voici l'adage simple qui le résume indubitablement : *Planifiez votre vie comme si vous alliez vivre éternellement ; vivez chaque jour comme si c'était le dernier.*

Dénichez l'occasion qui vous pend au bout du nez.

La plupart des innovateurs découvrent un nouveau principe ou inventent un nouveau produit. Nous les admirons parce qu'il est difficile de réussir de nos jours sur un marché totalement embouteillé. Les plus prolifiques des inventeurs eux-mêmes produisent davantage d'échecs que de réussites. Même lorsqu'ils conçoivent une idée d'une originalité étincelante, elle ne fonctionne pas toujours : un million de facteurs imprévisibles entrent en jeu pour transformer ou non un produit en succès.

Vatsya obtint un grand succès, mais il n'inventa rien. L'idée d'écrire un condensé des connaissances sur le plaisir sensuel n'avait rien d'original. De nombreuses personnes l'avaient déjà fait. Le matériel contenu dans son ouvrage n'est pas inédit. Malgré les commentaires qu'il y a apportés, les faits proviennent d'autres écrits. Le titre même du livre, d'abord connu sous le nom de *Kama Sutra* de Vatsyayana, n'est pas original non plus : il s'agit d'une désignation tirée du mot générique, *kamasastra,* pour histoire érotique.

Par quelle magie devint-il donc célèbre ? On peut voir en lui l'un des premiers génies du marketing. Il reformula ses connaissances sur les motivations humaines et s'aperçut que les gens s'intéresseraient à un certain genre d'informations. Il constata ensuite que la plus grande partie de ces informations étaient, en théorie, disponibles gratuitement. Il existait néanmoins des problèmes de transmission entre le producteur et le fournisseur : un surplus de matière de base, mal définie, extrêmement éparpillée et difficile à récolter.

Il devint donc le médiateur. Il lut tout ce qu'il fallait lire, puis il réduisit le tout à des extraits facilement assimilables. Il les inséra dans un volume relativement peu épais, lequel devint plus populaire que toutes les autres éditions rassemblées. En fait, ce fut même la seule édition qui demeura imprimée durant des siècles.

Nous connaissons bien aujourd'hui le principe appliqué par Vatsyayana. Nous l'appelons «valeur ajoutée». Il s'agit d'une forme alternative de développement commercial par rapport à la technique standard permettant de créer un nouveau produit ou service. On prend à la place quelque chose qui existe déjà et on le modifie afin de lui donner davantage de valeur. Ce mode de fonctionnement présente beaucoup moins de risques que la création et le marketing de nouveaux produits. Celui qui ajoute la valeur travaille sur une situation d'offre et de demande déjà existante. Les choses bougent déjà. Il se contente de faire des adaptations qui augmentent le flux et de profiter du degré de réussite qu'il atteint.

Allez puiser dans les motivations fondamentales de vos clients.

Nous agissons parce que quelque chose nous y pousse. Le mot « motivation » a les mêmes racines que « moteur » et évoque quelque chose qui génère un mouvement. Les psychologues savent depuis longtemps que la plus profonde des motivations humaines est le désir de rester en vie, tout d'abord en gardant notre corps vivant, puis en donnant naissance à une progéniture et en maintenant par là lignée génétique. En d'autres termes, nous sommes poussés par notre désir d'éviter la mort et d'avoir des relations qui produiront des descendants.

Dans la pratique, notre désir de rester en vie se manifeste dans notre besoin d'avoir de quoi nous nourrir et nous abriter. Si vous déposez un humain au beau milieu de nulle part, sans amis et dénué de tout, il commencera par chercher de l'eau et de la nourriture, puis il construira un abri pour conserver ces éléments à portée de main. Il s'agit de besoins primaires. Dès qu'il les a remplis, l'être humain passe rapidement en quête d'un ami proche ou d'un compagnon. Le partenaire fait également partie des besoins très primaires.

Nous arrivons ensuite à un troisième niveau. L'individu a besoin de trouver sa place dans la société. Il doit s'insérer dans le système social, se joindre au grand mécanisme qui nous permet de fonctionner comme les membres d'une équipe, d'occuper sa place d'associé de la grande entreprise humaine. Nous devons être branchés sur nos communautés. Ce niveau se divise en centaines d'options. Subitement, nous faisons face à de multiples choix et décisions. Quelles opportunités se présentent à moi ? Où puis-je trouver un emploi ? Dans quoi puis-je m'insérer ?

Une fois cette étape franchie, il nous faut passer à la dernière, au niveau supérieur : trouver l'accomplissement personnel. Le nombre de nos options explose littéralement, et nous avons des dizaines de milliers de choix. Comment s'accomplir ? Est-il possible de trouver un emploi qui me satisfera vraiment ? Quels loisirs devrais-je pratiquer ? Dois-je fréquenter un club, un temple, une église ? *Comment doit vivre un homme ?* Il n'est pas simple de se réaliser. Nous ignorons pratiquement tout de certains de nos besoins psychologiques. Selon les psychologues, la plupart d'entre nous ont des « promesses non écrites à l'égard de leurs parents ».

Nous avons vécu dans notre enfance des expériences qui ont modelé notre vie, souvent à notre insu. Nous sommes victimes de phobies que nous devons vaincre et nous avons des aspirations que nous devons combler. Entrent ici en jeu nos personnalités propres. L'un tiendra avant tout à être loué, son voisin estimera essentiel de se plier aux normes, un troisième souhaitera par-dessus tout être respecté et un quatrième voudra d'abord que sa création artistique soit reconnue.

Où s'insère dans tout cela le concept de « faire de l'argent » ? Ce n'est peut-être pas clair au premier regard. L'argent est une invention relativement récente, puisqu'elle remonte à environ trois millénaires. (En Inde, on s'est servi des vaches comme monnaie d'échange pendant des siècles avant l'invention de la monnaie.) L'argent nous permet de traverser sans heurts toutes ces couches de besoins. Il constitue le revêtement, qui va de la base au sommet de la pyramide des besoins. Il nous aide à trouver le gîte et le couvert, ce qui nous procure l'espace et le temps de rechercher un ou une partenaire. L'argent nous permet de choisir où nous souhaitons nous insérer dans la société et il finance nos rêves les plus fous lorsque nous tentons de nous accomplir.

Quand nous fabriquons un produit, nous nous focalisons sur notre besoin de créer : nous ressentons une envie pressante de commercialiser ce gadget, de fonder cette usine, d'écrire ce livre, d'ouvrir ce restaurant, de produire ce film et ainsi de suite. Nous opérons à partir de nos motivateurs des quatrième et cinquième niveaux. Nous cherchons à établir notre place dans la société et à nous réaliser sur le plan personnel. Très bien. Mais il nous faut aussi prendre en compte les besoins de nos clients. Qu'est-ce qui les motive ? Nous ne réussirons que si nous parvenons à combler leurs besoins. Si notre produit ou service ne remplit qu'un besoin du cinquième niveau, il s'agira d'un produit correspondant à un petit créneau. S'il correspond à un besoin du premier niveau, il intéressera tout le monde.

Prenons des exemples pratiques. Tous les deux ou trois ans sort un beau livre intitulé *Manuel de décoration des gâteaux de mariage.* Il s'agit de toute évidence d'un produit appartenant à un créneau éditorial réservé à un petit sous-groupe du cinquième niveau. Au contraire, les livres qui répondent à nos besoins des premier et deuxième niveaux nous aident à agencer notre vie de bas en haut, à organiser notre sécurité financière et nos relations interpersonnelles. Ils nous aident à gérer nos besoins les plus primaires. Les livres spécialisés ne sont souvent édités qu'entre 400 et 1 000 exemplaires, alors que les livres de poche traitant de l'argent et des relations humaines sont souvent distribués par dizaines de milliers.

Soyez conscient des motivations profondes de vos clients. Cela vous aidera à concevoir les outils de marketing qui retiendront leur attention. Et cela provoquera une hausse des ventes exponentielle. Un exemple : pendant la plus grande partie du XXe siècle, le condom occupait un petit créneau. Il ne constituait qu'un élément disponible parmi d'autres pour les personnes actives sexuellement qui souhaitaient éviter une grossesse. À cette époque, il était considéré comme l'un des moyens de contraception les plus rébarbatifs. Dans les années 1980, l'augmentation des porteurs du VIH et l'épidémie de sida ont complètement repositionné ce produit. Les condoms sont subitement devenus l'unique moyen pratique de se protéger contre une maladie mortelle. Leur publicité et leur marketing ont changé. D'une option de cinquième niveau, ils se sont mués en nécessité absolue. Leurs ventes se sont rapidement démultipliées et ne cessent d'augmenter.

LA MAGIE REDÉCOUVERTE

Le livre de Vatsya connut un énorme succès en Inde. Sinon, il ne serait pas resté si longtemps imprimé, à une époque où les livres étaient recopiés à la main. Bien évidemment, comme l'alphabétisation n'était pas répandue, le grand public ne le transportait pas sur soi comme un thriller populaire d'aujourd'hui, mais il acquit une grande réputation chez les gens cultivés. Chaque bibliothèque en possédait une copie et les riches disposaient de leur propre exemplaire qu'ils avaient fait copier spécialement. Cependant, alors que la plupart des livres « à succès » ont leur heure de gloire, celui de Vatsya sur l'amour les dépassa tous, devint l'équivalent d'un texte religieux, copié et recopié, transmis de génération en génération, siècle après siècle. Mais c'était un texte spécifiquement indien, destiné uniquement à l'Inde, jusqu'au jour où il devint célèbre dans le monde entier, après avoir été traduit en anglais en 1883.

Les choses se passèrent de la façon suivante : sir Richard Burton, le légendaire explorateur britannique, se trouvait en Inde où il travaillait avec des érudits du pays à la traduction de classiques indiens. Il apprit avec amusement qu'il existait plusieurs classiques consacrés au thème de l'amour et du sexe. Chacun d'entre eux avait tendance à englober ou résumer les précédents : on procédait de la sorte en Inde. Il décida donc de lire le plus récent, lequel comprendrait par conséquent la plus grande partie du savoir offert par les autres. Il s'agissait de l'*Anunga Runga* ou *Kamaledhiplava*. Ce titre pourrait être traduit soit par *La Scène de l'amour*, soit par *Un navire sur l'océan de l'amour*. Il était l'œuvre d'un poète appelé Kullianmull, qui l'avait composé pour le plaisir de Ladkhan, un prince de la Maison de Lodi, qui régna en Inde de 1450 à 1526 ap. J.-C. Ce livre, qui n'avait que deux ou trois siècles, était considéré, sur l'échelle temporelle indienne, comme « le plus récent des best-sellers ».

Sir Richard Burton découvrit qu'il avait déjà été traduit en anglais, mais uniquement imprimé à six exemplaires. Tous avaient trouvé place dans la bibliothèque de gens fortunés. Plus il étudiait ce genre, plus sa stupéfaction grandissait. Alors que les autres civilisations, la sienne incluse, abordaient le sujet de l'amour sous une épaisse couche de poésie romantique, les érudits indiens en examinaient directement tous les aspects éthique, spirituel et physique dans le plus simple des langages, à l'aide de descriptions détaillées. Les hommes, les femmes et leurs actes étaient classés de la même manière que les « écrivains qui se consacrent à l'histoire naturelle ont classé et divisé le monde animal », rapporta-t-il à ses collègues.

La théorie de la Femme Lotus – la femelle parfaite – le fascina. Elle possédait un beau visage, une poitrine coquine, un corps moelleux et bien en chair (représenté par trois plis sur son ventre), une voix « aussi basse et musicale que le chant du coucou » et elle était à la fois spirituellement éveillée et d'une grande intelligence.

Selon lui, ce matériau extrêmement intéressant devait être mis à la disposition du public de langue anglaise. (Sir Richard Burton endossa le rôle de reconditionneur, exactement comme Vatsya.) L'orientaliste britannique rassembla donc une équipe d'experts pour traduire l'*Anunga Runga*. Au fur et à mesure que la traduction avançait, il fut frappé par le nombre de références au mystérieux Vatsya. L'auteur du livre ne cessait d'associer son travail aux pensées de Vatsya, le sage de l'amour, auquel il faisait allusion avec le plus grand respect.

– Qui est donc ce Vatsya ? finit par demander sir Richard Burton.

– Il a écrit l'ouvrage de base sur l'amour de la littérature sanskrite, lui répondit l'un des experts. Toute bibliothèque de livres sanskrits doit absolument en posséder un exemplaire.

Sir Richard voulut donc prendre connaissance de ce classique, mais on lui répondit que vu son ancienneté, la plupart des bibliothèques n'en possédaient plus que des parties ou des fragments. Il risquait d'avoir du mal à se procurer une copie complète et digne de foi. L'explorateur décida alors que toute son équipe avait plutôt intérêt à abandonner la traduction de l'*Anunga Runga* pour plutôt se consacrer aux écrits du sage de l'amour. Ils commenceraient par recomposer un exemplaire complet digne de ce nom en sanskrit, puis ils procéderaient à sa traduction.

Dans une bibliothèque de Bombay, ils découvrirent un exemplaire endommagé et incomplet. Ils demandèrent donc des manuscrits aux bibliothèques des universités de Varanasi, de Calcutta et de Jaipur. Ils tombèrent ensuite sur un commentaire détaillé intitulé *Jayamangla*, datant de plusieurs siècles.

Les experts se mirent à l'œuvre. Après des mois de labeur, leur chef écrivit à sir Richard Burton : « J'ai corrigé moi-même le manuscrit ci-joint en comparant quatre exemplaires différents de l'ouvrage. J'ai été aidé par un commentaire, le *Jayamangla*, pour la correction de la section qui constitue les cinq premières parties, mais j'ai eu de grandes difficultés à corriger le reste car, exception faite d'un exemplaire qui était à peu près correct, tous les autres présentaient beaucoup trop d'inexactitudes. J'ai cependant estimé que la partie pour laquelle la majorité des copies coïncidait était correcte. »

Sir Richard Burton trouva que le livre qui en résultait constituait un aperçu sérieux et révélateur des parties les plus intimes de la vie en Inde un millénaire et demi plus tôt. Il fit remarquer que, selon les chrétiens, les auteurs peuvent reposer en paix, mais leurs œuvres leur survivent. « C'est exact, l'œuvre des hommes de génie les suit et demeure comme un trésor », écrit-il dans le commentaire de l'édition en anglais qu'il publia par la suite. Même s'il existe des débats et des discussions à propos de l'immortalité du corps ou de l'âme, personne ne peut nier l'immortalité du génie, qui reste à jamais une étoile resplendissante et un guide pour les êtres humains en lutte des époques successives. Cet ouvrage, qui a résisté à l'épreuve des siècles, a donc placé Vatsyayana parmi les immortels et ne peut être écrit plus beau panégyrique ou élégie sur lui que ce qui suit :

Aussi longtemps que baiseront les lèvres et que verront les yeux,

Aussi longtemps vivra Ceci, et Ceci Vous donnera vie.

L'ajout de cette fausse citation de Shakespeare au texte de Vatsya nous montre comment sir Richard Burton concevait ce livre : non pas comme de la pornographie, mais comme une distillation classique de pensée humaine par un écrivain de génie.

8

D'AUTRES VOYAGES DANS LES ÉCRITS ANCIENS

Les voyages intérieurs peuvent vous mener loin, mais ce livre n'est que la première étape d'un voyage beaucoup plus long.

DES PORTES CLAQUENT,
D'AUTRES S'OUVRENT

Nous atteignons la fin de notre voyage. J'ai éprouvé beaucoup de joie à rédiger ce livre et j'espère que mes lecteurs ressentiront à sa lecture au moins la moitié du plaisir que j'ai eu à le composer. J'espère aussi qu'il est davantage qu'un mélange vaguement intéressant de conseils sur les affaires et d'histoire ancienne sous-estimée. Il parviendra peut-être à remplir en partie un vide. Il existe des milliers de livres d'histoire et d'encyclopédies qui se consacrent à quelques-unes des premières civilisations. Tous citent toujours les mêmes : la Mésopotamie, considérée comme le « berceau de la civilisation », l'Égypte ancienne et ses somptueux monuments à partir desquels est définie la catégorie des « merveilles de l'ancien monde » et la Chine, qui ne cesse de nous rappeler ses 5000 ans d'histoire.

L'Inde n'est que rarement mentionnée dans ce contexte. Pourtant, des découvertes archéologiques ont eu lieu et se poursuivent, indiquant que ce fut sur le sous-continent où la race humaine effectua un grand nombre de ses découvertes essentielles. Grâce aux habitants de Meluhha, les historiens savent désormais que les premières cités planifiées surgirent dans la région indienne, de même que le premier transport sur roue, le premier filage du coton, la plus vieille écriture, et j'en passe.

Cette époque ancienne est d'une grande importance historique : les activités déployées dans la plaine du fleuve Indus modelèrent la société urbaine moderne. Et ce serait là, à côté de partenaires commerciaux en Mésopotamie et en Égypte, qu'il devint évident que des groupes humains organisés et concentrés étaient capables de former des établissements d'une complexité et d'une richesse magnifiques, dont les surplus réguliers pouvaient faire l'objet de troc au-delà des mers. Ces conditions permirent le développement du commerce international et, en définitive, celui des centres urbains. Expression ennuyeuse mais au sens séduisant : elle signifie que les établissements où se concentraient les familles devinrent des lieux où régnaient un plus grand bonheur et une plus grande sécurité et dont étaient bannies la famine et les privations. De nombreux endroits sur terre attendent encore l'accès à ces bienfaits.

Les habitants de Meluhha effectuèrent quelques découvertes remarquables sur la production de la richesse. Cette même partie du monde engendra Siddhartha Gautama, qui fit une autre grande découverte sur l'homme, à savoir que richesse et accomplissement humain n'étaient pas la même chose. L'acquisition de biens matériels n'aboutissait pas en fait à la satisfaction et à la perfection. Siddhartha posa la grande question : *Comment doit vivre un homme ?* Il fournit une réponse qui n'a rien perdu de sa valeur aujourd'hui. Il y a vingt-quatre siècles, les Éveillés invitèrent l'humanité à faire un voyage intérieur, voyage qu'effectuent encore de nos jours ceux qui cherchent à se réaliser.

L'Inde tient également une place essentielle dans l'aube de la littérature. Les Aryens furent à l'origine de la littérature védique, de laquelle est issu le *Rig-Veda*, vieux de 3500 ans, soit beaucoup plus ancien que tout extrait de la Bible ou du Coran. Seuls quelques morceaux de littérature lui sont antérieurs : *L'Épopée de Gilgamesh* de Sumer, qui a environ 4000 ans, et deux ou trois textes égyptiens vieux de 3800 ans.

Existent également d'autres classiques indiens vénérables. Du IVᵉ siècle av. J.-C. nous avons le *Mahabharata* et le *Ramayana*, deux anciennes épopées nationales. Nous n'avions pas ici la place de les étudier en détail, mais elles sont bien représentées par la célèbre *Bhagavad-Gîtâ*, de lecture difficile, mais dont nous avons longuement parlé.

Nous avons ensuite les magnifiques personnages de l'histoire indienne. Parmi les grands rois de l'Inde, Açoka Piyadassi, Bien-aimé des dieux, fondit une société stupéfiante qui intégrait les idéaux humanitaires et environnementaux dans un système de gouvernement : une réussite splendide, en avance de millénaires sur son époque. Son itinéraire personnel, qui le vit passer de guerrier sanguinaire à ambassadeur bienfaisant, est source d'inspiration aussi enrichissante que son journal gravé dans la pierre : un message pour l'avenir qui fut égaré pendant des siècles, mais qui a aujourd'hui été déchiffré, pour le plus grand bénéfice de l'humanité.

Nous avons aussi le curieux érudit religieux, Vatsya, dont l'ouvrage vivant mais incompris a servi de cadre à notre voyage à travers les anciennes légendes indiennes. L'auteur du *Kama Sutra* était un moderne et un réaliste. Il connaissait l'importance de l'argent et des biens matériels, mais également du plaisir. Pourtant, le plaisir ne devait être pris qu'après avoir accordé le temps et l'attention nécessaires aux autres choses : pour commencer, à des actions profitant directement à la société, et ensuite, à l'activité économique. Son appel à l'équilibre dans nos vies n'a jamais été plus pertinent qu'aujourd'hui.

Les personnages et les histoires que je viens de mentionner mériteraient chacun de se voir consacrer un ouvrage entier. Nous n'avons pas creusé dans ce livre, nous avons juste fourni une vue d'ensemble plutôt que de procéder à un examen global. Nous ne vous avons peut-être que fourni une introduction qui vous donnera éventuellement envie de les connaître mieux. Des lectures supplémentaires seront très profitables au lecteur avide.

En ce qui concerne notre traitement de la sagesse indienne, il y a une somme immense de matière que nous n'avons même pas abordée. Nous nous sommes limités à quelques textes anciens des traditions hindoues, bouddhistes et jaïns. Nous n'avons même pas effleuré la magie de l'Inde musulmane ou sikhe, ni aucun des grands rois qui ont succédé à Açoka. Nous n'avons pas parlé du corpus de textes littéraires appelés Vedas, ni des récits de Panchatantra, ni des contes de Jataka. Nous n'avons pas évoqué Kalidasa, considéré comme le « Shakespeare sanskrit ». Ces sujets méritent eux aussi des volumes séparés et tout lecteur prêt à les approfondir sera richement récompensé.

MESSAGES IMPORTANTS
DE CE LIVRE

Notre livre contient de nombreuses leçons, difficiles à résumer à quelques brefs principes à emporter. Nous pouvons néanmoins en extraire les messages qui en ressortent le plus clairement :

- Le plus long voyage ne consiste qu'en un seul pas, mais répété.

- Pour accomplir quelque chose de grand dans la société, on a besoin d'une grande équipe.

- Il faut apprendre du passé, mais se concentrer sur le présent.

- Ce ne sont pas les produits et les services qui sont à l'origine de la richesse, mais l'activité humaine.

- Par-dessus tout, nous devons remplir notre *dharma* : notre devoir d'augmenter la part de justice, de bonté et d'affection en ce monde.

- Faites des projets, mais vivez pour le jour présent.

- Ne vous concentrez pas avant tout sur les biens matériels et sur le plaisir, et vous verrez toutes les choses agréables venir à vous, possessions matérielles et plaisir compris.

- Nos voyages extérieurs sont de courtes balades, comparés à nos voyages intérieurs.

- L'équilibre est tout.

La nature humaine étant néanmoins ce qu'elle est, je ne pense pas que ce sont les principes écrits qui s'incrustent dans notre esprit, mais les personnes qui les ont rédigés et qui les ont appliqués. Pour terminer, je laisserai donc la parole à l'inoubliable Chanakya, à ce sage rusé et colérique qui passa du métier de professeur de sciences politiques à celui de stratège militaire. Après tout, il ne se contenta pas d'être l'auteur du premier traité au monde consacré à la gestion, mais il fournit la preuve qu'il fonctionnait, en l'appliquant à la construction d'un vaste empire.

J'ai remarqué plus tôt que Chanakya présentait quelques similarités avec le coyote rusé du dessin animé *Roadrunner* (*Bip bip et Coyotte* en français). Il invente des trucs extraordinaires pour vaincre ses ennemis. Il ne s'agissait pas totalement d'une facétie, comme le montre cet extrait de l'*Arthasastra* :

Vous trouverez l'occasion de tuer votre ennemi pendant qu'il est dans un lieu sacré où il s'est rendu en pèlerinage ou pour prier :

1. *Vous pouvez desceller les briques d'un mur pour le faire tomber sur sa tête.*

2. *Vous pouvez déverser des pierres sur lui du haut d'un bâtiment.*

3. *Vous pouvez faire tomber sur lui un bâton de métal du plafond.*

4. *Vous pouvez dissimuler des objets contondants à l'intérieur du corps de l'idole et lui lancer sur la tête.*

5. *Vous pouvez saupoudrer de poison l'espace sur lequel il s'assoit ou celui qu'il arpente.*

6. *Vous pouvez lui offrir un bouquet de fleurs qui émet un gaz létal.*

7. *Vous pouvez agencer son siège de manière à ce qu'il se brise en morceaux et le précipite dans un trou que vous aurez tapissé de lances.*

Il recommande ensuite d'autres techniques pour s'occuper des personnes qui posent un problème. Pourquoi ne pas creuser un tunnel sous leur maison et y introduire des serpents venimeux ? Pour pénétrer au cœur du territoire de votre ennemi, travestissez-vous en femme et faites porter un cercueil à quelqu'un devant vous : personne n'osera arrêter une veuve se rendant à des obsèques. Il prône aussi comme échappatoire de se faire passer pour un cadavre et de se faire transporter dans un linceul par ses collègues. Je n'ai pas inclus ces extraits de stratégie dans la partie intitulée « Leçons à apprendre de Chanakya ». Aujourd'hui, ils n'amuseraient pas du tout les représentants de l'état civil (à moins que vous ne viviez dans un endroit où les hors-la-loi sont légion, comme le centre de Los Angeles le vendredi soir ou comme Bihar ou Shenzhen n'importe quel jour de la semaine).

La séduction de ce sage provient du fait que, comme l'Inde, il déborde de contradictions. D'un pragmatisme débridé en ce qui concerne le traitement de ses ennemis, il est d'une parfaite bonté d'âme quand il s'agit de veiller sur les êtres fragiles : orphelins, femmes battues, serviteurs et autres. « Le chef donnera de l'argent aux orphelins, aux vieillards, aux infirmes, aux affligés et aux démunis. Il assurera aussi la subsistance des femmes enceintes sans ressources et des enfants qu'elles mettent au monde », écrit-il. Voici quelques-unes des lois de Chanakya sur la manière de traiter les esclaves :

Vous perdrez une somme identique à celle que vous avez investie pour acquérir un esclave si vous :

- lui faites transporter un cadavre, balayer des immondices ou manier des restes de nourriture ;

- obligez une femme esclave à servir un maître pendant qu'il se baigne nu ;

- le ou la blessez, le ou la maltraitez ou violez la chasteté d'une esclave ;

- En fait, si vous violez la chasteté de toute nourrice, cuisinière ou servante, vous obtenez immédiatement leur liberté à leur place.

Au bout du compte, il savait qu'une relation juste entre le peuple et le gouvernement constituait la clé d'une société heureuse. «Les impôts ne devraient pas être douloureux pour le peuple», écrit-il. «Les gouvernements devraient collecter les impôts comme l'abeille butine la dose précise de nectar de la fleur pour permettre aux deux de survivre.» Vous constaterez que des gouvernements qui prélèvent des impôts bas comme Hong Kong et Monaco applaudissent ce mode de fonctionnement.

Ce mélange de dureté et de douceur, d'agressivité et d'amour du pacifisme, d'ambition et de satisfaction nous accompagne encore aujourd'hui. Nos sens sont assaillis lorsque nous visitons l'Inde. C'est une destination bruyante, agressive, criarde, puante. Et pourtant, y règnent en même temps une grande sérénité et une sagesse spirituelle. On ne peut pas essayer de la comprendre. On ne peut l'absorber que dans son ensemble et se laisser métamorphoser par elle.

Les textes anciens de l'Inde présentent une valeur évidente, et j'espère que cette tentative de les ressusciter allumera une petite flamme aux gloires du passé. Et la chance aidant, cette sagesse ancestrale commencera à s'insinuer dans le monde moderne.

Ou, comme l'écrit Chanakya :

L'huile versée sur l'eau,

Un secret communiqué à une personne indigne,

Un cadeau offert à quelqu'un qui le mérite,

Un sermon proféré à un auditeur intelligent,

Ces choses, en vertu de leur nature,

Se propagent.

Faites-nous part
de vos commentaires

Assurer la qualité de nos publications
est notre préoccupation numéro un.

N'hésitez pas à nous faire part de
vos commentaires et suggestions
ou à nous signaler toute erreur
ou omission en nous écrivant à :

livre@transcontinental.ca

Merci !

Les Éditions
Transcontinental